La tortue sur le dos

Données de catalogage avant publication (Canada)

Loupias, Annick
La tortue sur le dos : ma lutte contre la boulimie

1. Loupias, Annick. 2. Boulimie. 3. Boulimie - Aspect psychologique.
4. Boulimiques - Québec (Province) - Biographies. I. Richard, Annette.
II. Lambert-Lagacé, Louise. III. Titre.

RC552.B84L68 2001   616.85'263'0092   C2001-941453-6

DISTRIBUTEURS EXCLUSIFS:

- Pour le Canada
et les États-Unis:
MESSAGERIES ADP*
955, rue Amherst
Montréal, Québec
H2L 3K4
Tél.: (514) 523-1182
Télécopieur: (514) 939-0406
* Filiale de Sogides ltée

- Pour la France et les autres pays:
VIVENDI UNIVERSAL PUBLISHING SERVICES
Immeuble Paryseine, 3, Allée de la Seine
94854 Ivry Cedex
Tél.: 01 49 59 11 89/91
Télécopieur: 01 49 59 11 96
Commandes: Tél.: 02 38 32 71 00
Télécopieur: 02 38 32 71 28

- Pour la Suisse:
VIVENDI UNIVERSAL PUBLISHING SERVICES SUISSE
Case postale 69 - 1701 Fribourg - Suisse
Tél.: (41-26) 460-80-60
Télécopieur: (41-26) 460-80-68
Internet: www.havas.ch
Email: office@havas.ch
DISTRIBUTION: OLF SA
Z.I. 3, Corminbœuf
Case postale 1061
CH-1701 FRIBOURG
Commandes: Tél.: (41-26) 467-53-33
Télécopieur: (41-26) 467-54-66

- Pour la Belgique et le Luxembourg:
VIVENDI UNIVERSAL PUBLISHING SERVICES BENELUX
Boulevard de l'Europe 117
B-1301 Wavre
Tél.: (010) 42-03-20
Télécopieur: (010) 41-20-24
http://www.vups.be
Email: info@vups.be

Pour en savoir davantage sur nos publications,
visitez notre site: **www.edhomme.com**
Autres sites à visiter: www.edjour.com • www.edtypo.com
www.edvlb.com • www.edhexagone.com • www.edutilis.com

Dépôt légal : 4e trimestre 2001
Bibliothèque nationale du Québec

ISBN 2-7619-1618-2

L'Éditeur bénéficie du soutien de la Société de développement des entreprises culturelles du Québec pour son programme d'édition.

Nous reconnaissons l'aide financière du gouvernement du Canada par l'entremise du Programme d'aide au développement de l'industrie de l'édition (PADIÉ) pour nos activités d'édition.

Annick Loupias
témoignage

La tortue sur le dos

ma lutte contre
la boulimie

Avec la collaboration de
Annette Richard, psychologue et
Louise Lambert-Lagacé, diététiste

LES ÉDITIONS DE
L'HOMME

Merci à tous ceux et celles qui m'ont tendu la main
et qui ont cru en moi. Ils se reconnaîtront. Ils font
et feront toujours partie de ma vie.

À Patrick

Avant-propos

À partir de l'âge de quinze ans et jusqu'à trente-sept ans, j'ai souffert de boulimie, une maladie qui touche de plus en plus de femmes dans le monde. Au cours de ces années de souffrance, d'errance et d'égarements, j'étais persuadée que je ne pourrais jamais atteindre un mieux-être. Mais la vie a placé sur ma route deux personnes qui m'ont assistée dans ma longue remontée vers la stabilité, deux femmes remarquables, Annette Richard, psychologue, et Louise Lambert-Lagacé, diététiste. Grâce à leur intervention et à leurs approches fort différentes l'une de l'autre, j'ai peu à peu retrouvé l'équilibre et recouvré la santé de l'esprit et du corps.

La plupart des livres traitant de boulimie abordent le problème de façon scientifique. C'est en consultant un ouvrage comme celui-là que l'idée m'est venue d'en parler différemment, de l'intérieur, « avec les yeux du cœur ». C'est d'abord laborieusement, mais avec de plus en plus de confiance en la nécessité d'une telle initiative, que j'ai pu mettre des mots sur mes souffrances passées avec l'espoir secret de pouvoir enfin tourner la page sur cette zone sombre de mon existence. Je n'aurais pas pu témoigner seule. Il m'a paru naturel de donner la parole aux deux femmes qui m'ont accompagnée dans ma longue route vers l'autonomie. Louise Lambert-Lagacé et Annette Richard ont été emballées à l'idée de participer à ce projet en y ajoutant leur point de vue ; leur enthousiasme m'a aidée à persévérer et à me

rendre jusqu'au bout de cette aventure. Les deuxième et troisième volets de cet ouvrage apportent un précieux éclairage à
mon récit.

Le premier volet est donc un témoignage, le mien. Il pourra
paraître pénible et parfois incroyable aux personnes qui n'ont
pas connu les affres de ce voyage en enfer qui a beaucoup à voir
avec l'obsession de la minceur. Mais aux autres, à toutes ces femmes qui vivent dans la noirceur et se gavent jour après jour pour
ne plus avoir mal, j'ose espérer que ce livre saura redonner
confiance en la possibilité bien réelle de guérir.

Manger pour oublier

C e matin, avec fracas et colère, j'ai refermé la porte sur ma souffrance. J'ai chassé l'homme que j'aime, parce qu'il n'est pas assez présent. Je le déteste de ne pas me tenir la main, de ne pas me prendre en charge. Je le déteste autant que moi-même, femme terrorisée et incapable de marcher seule. J'ai peur. Mon vide intérieur est toujours aussi vide. L'amour de cet homme ne m'a pas changée. Je sais depuis longtemps que personne ne peut m'aider, que personne ne peut me calmer. Seule la nourriture m'apaise. Elle m'est d'une totale fidélité. Patrick a disparu de ma vie, je l'ai décidé. À sa place, il reste un trou béant, je ne suis plus rien… À ce moment précis, j'ai un énorme besoin de manger.

Enfin la journée s'achève ! Je sors du cabinet dentaire où je travaille comme secrétaire. J'ai besoin d'air et marche dans la rue, fébrile. Je ne suis plus moi-même. À la fois surexcitée et dépressive, j'avance en hâte. Je sais vers où mes pas me conduisent, je connais le scénario. Je vais d'abord faire des provisions. Ne rien oublier, tout prévoir, car une fois rentrée chez moi et la porte refermée, je ne mettrai plus le nez dehors. Ce sera l'isolement total.

Je vais donc à l'épicerie et je remplis deux sacs de provisions. Comme toujours, je choisis plus d'aliments sucrés que d'aliments salés : des fromages, du pain, des plats cuisinés, des chips, des biscuits, des gâteaux de toutes sortes, des plaques de chocolat, des pots de glace au chocolat, de la crème fraîche et tout ce qu'il faut pour faire des gâteaux. Je ne veux surtout pas manquer de desserts… Pendant cinq jours, je ne ferai que manger, assise dans mon lit, les volets fermés. Cinq jours morbides à avaler mon dépit, mon amertume, mon dégoût de moi. Je me méprise à cause de ce que je vais faire. Mais je ne sais pas me comporter autrement. Depuis des années, je répète les mêmes gestes. Pour me punir d'exister, parce que je ne m'aime pas, j'ingurgite de la nourriture. Elle me sert de refuge, de punition, de calmant, d'élément destructeur. Elle est tout cela à la fois. Elle est aussi un appel à l'aide, ma seule façon de dire mon désespoir. Je n'aime ni mon corps, ni ma vie, ni ce que je suis. Je n'ai aucune estime de moi. Et une seule activité réglemente ma vie depuis dix ans : manger… D'elle dépendent mon humeur, mon travail, mes amours. La nourriture m'anéantit, elle ne nourrit jamais mon corps, elle est toujours outrageusement obsédante.

Pendant cinq jours, ma seule préoccupation sera de me gaver. Il n'y a plus de petit-déjeuner, de déjeuner et de dîner, je mange continuellement. Je ne m'arrête que le temps de reprendre un peu mon souffle, de laisser les aliments descendre dans mon estomac. Dès que j'ai commencé à manger, mon dégoût de moi devient proportionnel à la quantité de nourriture ingérée. Impossible d'arrêter le processus. Il est irréversible. L'abdomen complètement distendu, je dors une heure ou deux. Au réveil, je recommence. Je ne fais pas chauffer les plats cuisinés, je les mange à même la boîte. Les restes sont éparpillés autour du lit. Comme je n'aime pas vomir, je prends des laxatifs toutes les trois heures. Il me faut bien me vider de temps en temps. Puis je m'aperçois que je n'ai plus de gâteau. Je décide d'en faire un. J'ai une recette fantastique : cinq minutes de préparation, trente minutes de cuisson. Je ne peux pas attendre longtemps… Quelques instants plus tard, je continuerai mon orgie. Le soir, prise de remords, je jette le reste de gâteau à la poubelle, le recouvre de cendres de cigarettes pour être certaine de le détruire. Cette précaution ne m'arrêtera pas. Le lendemain matin, mon premier geste sera d'ouvrir la poubelle, de souffler sur les cendres et d'avaler goulûment ce morceau grisâtre.

Je n'ai plus aucune dignité, c'est le comble de l'horreur de soi. Mon corps continue de se remplir. Comment peut-il résister à tant de coups ? Il est élastique. Il s'étire, s'étire, s'étire... La peau enveloppe de plus en plus de chair, et celle-ci prend sa place à une vitesse vertigineuse. J'ai de la difficulté à sortir du lit. Il me faut aller aux toilettes. Le bref passage devant le miroir m'anéantit. J'aperçois mon ventre gonflé par la nourriture. Je perds le contrôle et me frappe le visage violemment. Je me déteste. Je me frappe jusqu'à ne plus supporter la douleur. Pendant mes orgies alimentaires, je répéterai souvent ces gestes d'automutilation. Ma haine de moi est lourde et solidement ancrée.

Sixième jour : une amie inquiète frappe à ma porte. Elle ne pouvait pas m'appeler, je n'ai pas le téléphone. Elle sait que je suis là. Elle insiste. Couchée, je ressemble à une tortue sur le dos. J'ai l'impression que je n'arriverai pas à me lever tant mon ventre me paraît énorme. Gonflé comme une outre, il ressemble à celui d'une femme enceinte. Malgré tous les sévices que je lui fais subir, il tient bon. Après de nombreux efforts, je réussis à m'extirper du lit. J'ouvre la porte et mon amie blêmit. Elle ne dit rien mais son regard suffit à me convaincre que je suis horrible. Je lui fais peur. Au lieu de lui dire bonjour, je l'agresse. Des mots de haine crachés au visage, des hurlements de rage. Je ne supporte pas le regard des autres sur mon corps souffrant. Désorientée, elle m'implore de me calmer. Ses yeux pleins de douceur me supplient d'arrêter de crier. Et soudain je craque, la douleur se transforme en pleurs, des pleurs aussi géants que mon corps, des pleurs qui servent à engloutir ma honte.

Je ne sais plus qui est cette femme qui mange sans aucune retenue et qui ne sait pas pourquoi. Nous sommes deux. Celle qui est grosse m'est totalement étrangère. Comment a-t-elle pu manger autant ? Si je ne l'avais pas connue, je dirais que c'est exagéré, que l'estomac d'une personne normalement constituée ne peut contenir toute cette nourriture... Et pourtant. Les jours suivants sont pénibles. Je suis épuisée. Mon corps sort d'une lutte sans merci pour résister à mes assauts. Il va maintenant avoir besoin d'une accalmie... Moralement, je suis démolie. Je ne peux que constater les dégâts. Mon corps bouffi me dégoûte. Cette orgie est la plus monstrueuse de ma vie. Je venais de passer deux mois à ne rien manger, j'avais osé espérer ne plus jamais perdre le contrôle, rester mince et enfin m'aimer. Mais je ne tiens pas longtemps, la boulimie attend toujours derrière ma porte. Elle me connaît bien, elle sait qu'après de longues périodes d'anorexie, elle reprendra sa place. Elle me tient compagnie depuis bientôt dix ans, elle n'est pas près de rendre les armes. C'est une vieille connaissance. Elle remplace tout l'amour absent, elle me punit de n'être rien à mes yeux, elle est le seul moyen mis à ma disposition pour anesthésier ma douleur de vivre. À l'intérieur de moi vit et bouge une grosse pelote d'émotions, toutes des pistes imbriquées les unes dans les autres. Je n'ose pas encore tirer le fil qui me conduirait au centre, je ne suis pas prête. Pour ne pas qu'elle se déroule, pour qu'elle se tienne tranquille, un seul moyen : manger. Pendant les deux mois suivants, je ne ferai que ça, du matin au soir, au travail, dans la rue, au lit, partout… Le prix à payer sera élevé : vingt kilos supplémentaires au bout de soixante jours !

Depuis des années, mon corps est un accordéon qui joue la gamme de mes émotions. Je suis grosse, et c'est ma faute. Pas d'hérédité, pas de dérèglement hormonal. Rien que de gargantuesques quantités de nourriture ingurgitées en un temps record. Certains jours, je peux consommer jusqu'à dix mille calories. Cela signifie un kilo de crème glacée, quatre paquets de biscuits, un pot de confiture, des plaques de chocolat, des bonbons. Puis, une fois écœurée du sucré, je passe aux aliments salés, que j'avale en aussi grande quantité. À la fin de la journée, c'est de nouveau l'*overdose* de sucre. Je pleure souvent en mangeant. Et quand mon estomac est prêt à éclater, je me dirige vers les toilettes. Pour vomir… pour pouvoir effacer toutes les traces, pour ne pas engraisser, pour pouvoir recommencer encore et toujours. Je n'aime pas me faire vomir. J'ai pourtant essayé souvent, mais je n'y arrive pas. Cela m'aurait évité d'engraisser. À la place, je prends des laxatifs. J'en avale par poignées, comme des bonbons. Puis je me mets à boire de l'huile de paraffine à la cuillère. Une huile épaisse et translucide. Résultat : je marche dans la rue et je dois rentrer d'urgence, la culotte tachée d'huile. Je vidange mon corps comme on vidange une voiture. Il me faut le nettoyer après l'avoir gavé. Et comme si ce n'était pas assez, j'ajoute des tisanes laxatives dont je triple la dose prescrite. Leur goût est tellement amer qu'il me faut manger un carré de chocolat tout de suite après. Beau paradoxe ! Parfois les tisanes me font vomir. Mais tous les laxatifs du monde ne m'empêchent pas d'engraisser. Rapidement, mon corps va retrouver la forme qu'il connaît bien, celle que je lui donne quand j'ai mal.

En deux mois, je deviendrai une autre femme. Une seule partie de mon corps ne change jamais : mon visage. Je garde la tête hors de l'eau et de la tempête. La graisse l'épargne, comme un cadeau du ciel. Par contre, elle enveloppe mon corps des seins jusqu'à la plante des pieds. Mes vêtements de femme mince sont relégués au fond du placard pour un certain temps. Commence la période des robes longues et amples. Je perds ma féminité : à mes yeux, une telle caractéristique ne s'accorde pas avec mon tour de taille. Cette période de boulimie a forcément des répercussions sur mon travail. Je ne ressemble plus à l'image de la secrétaire accueillante et jolie que deux dentistes ont embauchée.

Ce matin, ils ont l'air de me trouver repoussante. Le plus jeune me dit agressivement : « Allez vous acheter du déodorant, vous puez ! » Je suis propre pourtant, mais il est vrai que je transpire beaucoup. Profondément blessée, je le frappe sur la poitrine, les deux poings fermés. Il me repousse violemment contre un classeur en métal. Je me rends compte tout à coup que je suis en train de frapper mon patron. Mes deux poings arrêtent leur course, les larmes remplacent la colère : je prends mon sac et mon manteau et je m'en vais. Il est 10 heures du matin. Je viens de perdre mon travail. Aucun remords. Mais les mots blessants me poursuivent. Suis-je aussi repoussante ? Sur le chemin du retour, je passe par la pâtisserie : brioches, croissants aux amandes, pains au chocolat, etc. Je fais mes provisions pour la journée. Aujourd'hui, je ne serai pas obligée de m'enfermer dans les toilettes pour manger…

Le lendemain matin, le réveil est pénible. Qu'ai-je fait hier ? Je constate à quel point je perds les pédales. J'essaie de me raisonner en me disant que, de toute façon, je n'aimais pas ce travail ni les gens avec qui je travaillais. Une seule exception : Éliane, une assistante. Elle comprenait mon désarroi, mais n'en parlait jamais. À la place, elle me faisait rire. J'aime rire, beaucoup même. Mais je ne sais pas rire de moi et je ne sais pas rire de mon corps. Je le vois tous les matins, de plus en plus gros, de moins en moins attirant. Plus je me regarde, moins je m'aime, plus je mange, plus je me détruis.

Personne encore n'est au courant de ma bagarre avec mon patron. J'entends déjà les commentaires et les reproches, je les connais par cœur. « Pour une fois que tu avais un bon job ! Qu'est-ce qui t'a pris ? Tu ne changeras jamais, toujours à faire les quatre cents coups. » D'un côté, je subirai la colère de mon père, ses mots acerbes, durs et intransigeants ; de l'autre, j'apercevrai les yeux remplis d'incompréhension de maman. Elle sera douce malgré tout, car elle sent ma douleur, même si elle ne la comprend pas… Elle la côtoie depuis si longtemps. Elle ne sait pas à quel point elle en est la cause, à quel point nous sommes liées toutes les deux.

La fille de ma mère

Je suis née en France, dans une petite ville de province nichée au creux d'une vallée, douillettement à l'abri dans les replis des collines environnantes. Elle ressemble à un fœtus lové dans le ventre de sa mère. C'est ainsi que j'y ai vécu, moi aussi. Et si ma douleur venait de ce coin de terre que je n'ai jamais voulu quitter ? Mais il le fallait, paraît-il. Alors je suis partie, parfois pas très loin, juste pour avoir l'air d'être grande, pour donner l'impression que j'étais capable de vivre toute seule. C'est peut-être là que s'est glissé en moi ce besoin de remplacer l'amour d'une mère par la nourriture, comme un sein maternel, comme un deuxième soi…

J'aime profondément maman. Près d'elle, il ne peut rien m'arriver. Et elle est toujours là, présente et attentive. Comme mon père travaille beaucoup, elle veille à tout. Elle ne se plaint jamais, elle remplit ses devoirs de mère au foyer avec application. Apparemment, la vie se déroule de façon très simple, rythmée par les horaires de l'école, les devoirs, les heures des repas. Pourtant, il manque quelque chose, un brin de fantaisie et de joie, un je ne sais quoi de vivant. J'ai besoin de la compagnie de maman. Pendant les vacances, je vais avec elle au marché, je l'aide à nettoyer la maison, à préparer les repas. J'ai envie de lui faire plaisir, j'ai l'impression que personne ne s'occupe d'elle. Un de mes plus grands plaisirs est de m'asseoir à ses côtés dans la cuisine et de feuilleter avec elle toutes ses recettes de cuisine.

Dans sa jeunesse, elle a rempli des pages et des pages de cahiers à petits carreaux de savoureuses recettes traditionnelles. Gourmande, elle rit de mon goût pour les gâteaux et les sucreries : « Tu es bien ma fille ! » C'est un des rares moments où elle rit. Quand elle est avec mon père, tous deux sont toujours sérieux… Je ne les vois jamais s'embrasser. C'est peut-être pour ça qu'elle a l'air triste. Je sens chez elle une brisure, une lassitude. Elle ne dit rien, et je me trompe peut-être… mais une femme heureuse n'a pas ce regard-là.

Au fond, je ne sais pas grand-chose de mes parents. J'ai grandi dans une maison où il ne manquait de rien, notre famille comptait parmi les notables de la ville, tout était parfait. Trop peut-être… Puis les nuages noirs ont obscurci mon ciel et celui de la maisonnée. J'ai mal grandi. Pas comme mon frère et ma sœur.

Jeudi après-midi : congé scolaire. Je tourne en rond. Je suis seule à la maison, Maman est sortie. Je n'aime pas quand elle s'absente, j'ai peur. Plus je grandis, plus j'ai besoin d'être près d'elle. Elle est mes yeux, elle est mon souffle, je deviens dangereusement elle, j'ai dangereusement besoin d'elle. Quand elle part, je suffoque, mes doigts s'engourdissent, j'ai l'impression que mon cœur va sortir de ma poitrine, je deviens de plus en plus oppressée. Aujourd'hui, c'est pire que d'habitude. Je pourrais en mourir. Un grand cri monte dans ma gorge, un hurlement. Alors j'ouvre le placard où se trouvent les provisions de biscuits. Je prends un paquet et je mange debout, vite. Le goût du sucre m'apaise, dès les premières bouchées je me calme. Sans m'en rendre compte, j'engloutis la boîte de biscuits. Je me sens plus détendue, comme engourdie. Je viens d'avoir treize ans. Je viens de me rendre compte du pouvoir de la nourriture…

J'essaie de plus en plus de ressembler à maman. Quand je joue à la petite femme d'intérieur, papa me félicite, j'ai l'impression qu'il m'apprécie. C'est le seul moment où ça arrive. Le reste du temps, il ne dit pas grand-chose. À table ont lieu des discussions très sérieuses, généralement sur la politique, entre mon père et mon frère, discussions auxquelles je ne participe pas. Ils sont entre adultes, je ne suis qu'une gamine, une ombre. Assise sur ma chaise, je les écoute sans dire un mot. Ma sœur aussi se tait. Elle, elle est toujours sage, bien élevée. Elle a l'air de n'avoir aucun problème… Moi, je me sens toujours mise à l'écart, on ne s'occupe pas de moi. J'aimerais que l'on m'écoute, j'ai besoin d'attention, mais je ne sais pas la demander. Peut-être le dernier enfant d'une famille est-il destiné à se débrouiller tout seul. Comme si les parents avaient tout donné aux premiers… Peu à peu mon caractère change, je deviens plus agressive, révoltée et impertinente. J'essaie de me faire remarquer, je veux être la seule qui compte aux yeux de maman. Je voudrais lui dire que je ne me sens pas bien. Mais même si je lui en parlais, elle n'y pourrait rien.

J'aide souvent maman à faire des gâteaux. J'en profite pour manger les restes de pâte crue, des morceaux de chocolat. J'ai de plus en plus envie de manger… Je ne m'inquiète pas trop, je me trouve simplement un peu trop gourmande. Comme le sont maman et papa…

Je suis de plus en plus mal dans ma peau d'adolescente, je ne sais pas à qui en parler ni, surtout, comment le dire. On ne parle pas à la maison, ou alors de la pluie et du beau temps. Jamais des sujets qui me préoccupent, jamais des garçons, encore moins de ces envies qui me font me caresser la nuit. Je suis très seule, tout le temps, dans ma tête. Alors le suicide sera ma manière inconsciente d'aller chercher de l'attention. Dans ma quinzième année, je ne trouve comme paroles que ce geste définitif, excessif, à l'image de ce que je suis. Après le déjeuner, je dérobe les somnifères de mon père, puis je monte dans ma chambre. Avant d'avaler les médicaments, j'écris un court mot : « Puisque je vous embête, adieu ! » Je me réveille à l'hôpital après un lavage d'estomac, toute la famille autour du lit, l'air totalement atterré. Cela me fait plaisir de les voir tous là, et je ne me rends pas vraiment compte de la gravité de mon geste. Mon désir d'attirer l'attention de maman est satisfait, elle m'aime vraiment… Pour une fois, je suis passée avant tout le monde, avant mon père, mon frère et ma grande sœur. Il n'y a que moi qui compte, personne d'autre.

Je voudrais qu'il en soit toujours ainsi. Puis, à ma sortie, mes parents encore sous le choc me conduisent chez le médecin de famille. On me donne mes premiers Valium. J'ai réussi pour un court instant à capter l'attention du monde, j'ai enfin une certaine valeur aux yeux des autres… Tout rentre dans l'ordre, tout continue comme avant.

Pas tout à fait, pourtant. Manger devient un acte solitaire qui prend de plus en plus d'importance. Régulièrement, je vole dans les provisions de maman, puis je m'arrange pour faire les commissions à sa place et j'en profite pour m'acheter du chocolat ou des biscuits. Je commence alors à avoir peur de ce comportement compulsif. C'est l'époque où ma sœur et moi sommes inscrites au club de natation de la ville. Toujours sérieuse, elle s'entraîne avec persévérance et acharnement, elle veut être première de la région Midi-Pyrénées. Derrière elle, je fais figure de dilettante, ce que je suis. Je préfère regarder et faire les yeux doux aux nageurs. Mes intérêts sont autres. Au cours de l'été, dans toutes les compétitions, j'arriverai derrière ma sœur. J'y suis habituée, mais je deviens extrêmement jalouse des compliments qu'elle reçoit. L'attention est braquée sur elle, je reste dans l'ombre. Elle devient un modèle à suivre, comme mon père… On se moque de moi, gentiment, mais suffisamment pour que je me dévalorise. Je suis celle qui ne fait pas trop d'efforts, qui reste à la traîne, qui ne brille pas… et je m'aime de moins en moins. Fragile sous des dehors bagarreurs, je me morcelle, je perds mon identité. Certains jours, j'ai tellement peur que j'aimerais mieux mourir. Je me console en mangeant en cachette. Je ne sais pas quelle est ma place au sein de la famille, je me demande parfois si j'en ai une… Oui, j'en ai une, près de maman…

Mais aujourd'hui, je la quitte pour la première fois. Je pars en pension avec ma sœur, dans une autre école, à trente-cinq kilomètres de la maison. Maman nous conduit au foyer de sœurs où nous logerons pendant l'année scolaire. Le trajet en voiture est trop court. Dans une heure, maman repartira, elle m'abandonnera là. Elle ne se doute pas combien j'ai peur de la quitter. Je vis cette séparation comme un abandon, je suis une petite fille : pour l'instant, j'ai trois ans et si elle me quitte, je crois que je vais mourir…

Maman nous aide à monter nos valises au deuxième étage. Ma sœur a sa chambre juste en face de la mienne. Elle pourra veiller sur moi… Ce n'est certainement pas le fruit du hasard. Depuis ma tentative de suicide, maman est inquiète, je le sens, même si elle ne me pose jamais de questions – à la maison règne toujours la loi du silence.

Puis c'est le moment du départ : je serai forte. J'entends maman qui descend l'escalier. À chacun de ses pas, mon pouls s'accélère, l'angoisse augmente, je hurle de douleur, la tête enfouie dans l'oreiller. Quand j'étais petite, je m'amusais à enfermer des abeilles dans des bocaux à confiture, je les regardais se cogner aux parois et mourir. Maman m'a enfermée dans cette chambre, c'est à mon tour de tourner en rond entre ces quatre murs. Moi aussi, je pourrais mourir par manque d'air…

Mais contrairement aux abeilles, j'ai une issue de secours. Je cours à l'épicerie avant la fermeture des portes. Je suis dans un état second, incapable de me raisonner. Rien ni personne ne va m'arrêter. Il me faut manger, maintenant, pour ne plus penser, pour ne plus rien sentir. Je pousse la porte du magasin, le cœur battant. Je ne me pose aucune question. Je remplis mon panier de divers paquets de biscuits, de crème glacée, de plaques de chocolat de toutes sortes, de bananes, de saumon, de mayonnaise, de saucisson et de pain. Sans savoir pourquoi, je rajoute une bouteille d'armagnac. Probablement parce qu'à la maison je n'ai pas le droit de boire de l'alcool. Personne ne boit, personne ne fume. Je serai la première… Je dépense tout mon argent de poche. Cela m'est égal, pourvu que je n'aie plus mal. Les bras chargés de provisions, je reviens au foyer en espérant ne rencontrer personne. Normalement, à cette heure, toutes les nouvelles pensionnaires sont réunies dans la salle à manger pour un mot de bienvenue de la directrice. Je monte quatre à quatre les marches de l'escalier et cache mon butin sous mon lit. Puis je redescends vite à la salle à manger. Le discours n'a pas encore commencé. Ma sœur me fait un signe de la main.

« Où étais-tu passée ?

— Je suis allée faire le tour du quartier, pour rien, pour me promener…

— Viens t'asseoir avec moi.

— Je ne resterai pas longtemps, je me sens fatiguée, je crois que je vais aller me coucher dès que sœur Monique aura terminé. »

Quelques instants plus tard, je dis bonsoir à tout le monde. Il me faut manger, tout de suite. Je grimpe les escaliers en courant et entre dans ma chambre tout essoufflée. Une fois la porte fermée à clé, je sors ma drogue de sa cachette. Je suis à la fois excitée et très angoissée. Je sais sans pouvoir y mettre des mots que mon comportement a quelque chose d'anormal. Je fais mes premiers pas dans la boulimie, je n'en connais pas encore ni le nom ni les ravages. J'ouvre la bouche et j'engloutis la moitié de la nourriture, j'avale de temps en temps des gorgées d'armagnac. Je ne mastique pas. Les aliments descendent dans l'œsophage et étouffent mon angoisse. Je passe du sucré au salé, puis je recommence. Je mange comme un animal, à pleines mains. Le principal : déglutir, avaler, m'anéantir. Ma peur ne s'évanouit pas, le besoin d'être près de ma mère se fait au contraire plus pressant. Puis, devant les restes qui jonchent mon lit, je me mets à pleurer. Que m'arrive-t-il ? Je me fais peur, j'ai honte. Des nausées me submergent. L'alcool me donne envie de vomir. Comme je ne veux pas rencontrer une autre étudiante en me rendant aux toilettes, j'ouvre la fenêtre et m'exécute. Des morceaux entiers de bananes tombent dans la rue. Je régurgite aussi vite que j'ai avalé. Je suis totalement désemparée, j'ai honte de moi. Je ne comprends pas ce qui m'arrive. Incapable de réfléchir, épuisée, je m'allonge encore habillée sur le lit où je dors jusqu'au lendemain. Désormais, quand la douleur de la séparation sera trop grande, je mangerai pour oublier, pour ne plus sentir l'absence, pour la combler.

Le lendemain matin, le retour à la réalité est brutal. J'ai la bouche pâteuse, l'estomac barbouillé, mais surtout l'âme meurtrie. La honte et la culpabilité prennent toute la place. Mais je dois faire bonne figure, c'est la rentrée des classes. Pas question d'arriver la mine défaite ou l'œil triste. Je pars à l'école, bien décidée à oublier la soirée précédente. Je choisis une table au fond de la classe : on y a une bien meilleure vue d'ensemble ! Ce sera ma place pour l'année. À ma droite, penché sur son bureau, G. a l'air de dormir. Nous faisons connaissance. Apparemment, passer son baccalauréat est le dernier de ses soucis. Il a l'air blasé et un peu décadent. Il traverse la vie sans grand projet ni grande ambition, sans rien attendre. Sa nonchalance me séduit. Et j'ai l'air de lui plaire. C'est comme une bouffée d'air pur. Enfin quelqu'un s'intéresse à moi. Après tout, je suis peut-être quelqu'un de bien... Plus question d'étudier ni même de dormir. La nuit, je m'évade de la pension par la fenêtre de la salle à manger. G. m'attend dans sa petite voiture sport, une TR4. Nous passons nos soirées dans les boîtes de nuit. Je transfère mon besoin d'amour et d'attention sur lui. Et il me comble. Il est doux, attentionné, gentil. Suis-je amoureuse ? Peut-être. Ce qui importe, c'est que je ne sois pas seule. Malheureusement, il ne terminera pas l'année scolaire. À l'école, je viens d'apprendre qu'il est parti. Il est disparu sans me donner de nouvelles, mais il a laissé des traces dans ma chair. Si cet amour adolescent a momentanément calmé mon angoisse, il n'a pas éloigné la boulimie. Sur le chemin du retour, je passe par la pâtisserie. Je me sens mal, à part, pas comme tout le monde. Qu'y a-t-il au fond de moi qui m'entraîne à manger ? Un besoin irraisonné d'amour ? Je n'accepte pas la vie telle qu'elle est. Je la veux autrement. Et je me veux, moi, autrement. Rien ne me convient, ni les autres ni moi. Et, surtout, maman me manque...

Mes résultats scolaires sont catastrophiques. Mes parents n'y comprennent rien, car j'ai toujours aimé l'école. Mon père, intransigeant et discipliné, ne supporte pas mon échec. Ses autres enfants réussissent, comme il a lui-même réussi. Quand il lit mon bulletin de notes, maman modère sa colère. Mais j'aime bien quand il se fâche, il se passe enfin quelque chose à la maison, il s'intéresse à moi. Papa est un homme curieux : la réussite fait partie de ses valeurs, souvent au détriment de la vie de famille. Et puis, à la maison, tout est centré sur lui, tout est fait en fonction de lui... Pas de place pour les autres, il est le chef de famille. Je souffre de cette emprise, peut-être autant que maman, mais elle n'en parle pas. Son rôle d'épouse et de mère au foyer semble ne jamais être remis en question. Elle se dévoue pour son mari, et je me demande si ce n'est pas au prix de son bonheur… Je n'aime pas penser que maman puisse être malheureuse.

Les colères de papa ne servent à rien. Au contraire, non seulement je n'étudie pas, mais je mange de plus en plus. Pour ne pas devenir grosse, je me mets au régime entre mes crises de boulimie. Ces prises de nourriture incontrôlées ne durent pas longtemps, un ou deux jours, au pire une semaine. Ensuite j'arrête de manger. Je ruse pour que personne ne s'en aperçoive. Je m'affame et j'augmente ma quantité de cigarettes et de café. J'ai acheté un livre qui indique la quantité de calories pour cent grammes d'aliments ingérés. Je ne mange pas plus de cinq cents calories par jour, et cela les bonnes journées. Quand il n'y a pas école, je jeûne. Finalement, je perds les quelques kilos pris très rapidement au cours de mes orgies. Ainsi naît dans mon esprit la hantise du poids, de la graisse et de l'imperfection. Désormais, manger signifie perdre du pouvoir et ne pas manger, être performante et maîtresse de moi.

Plus le temps passe, plus je fantasme sur la nourriture « interdite ». Sont interdits tous les aliments qui me servent à me gaver, tous ceux qui sont synonymes de perte de contrôle et de punition. Viennent en tête toutes les sucreries, les gâteaux. Mais je me rends compte que je m'interdis quasiment tous les aliments. Combien de temps vais-je tenir ? Deux semaines, un mois, plus ? Puis les orgies vont recommencer. Mon corps et mon esprit privés de leur drogue s'en donneront à cœur joie. Ce sera la valse à deux temps : manger et dormir.

Ce matin, je n'ai plus d'argent dans mes poches. Je pourrais toujours en demander à ma sœur, mais nos rapports se sont détériorés. Elle n'apprécie pas mon désœuvrement. Et j'ai une envie irrépressible de manger… J'ai beau penser, je ne trouve aucune solution pour me procurer ma drogue. Mais une idée germe dans ma tête : puisque je ne peux pas acheter de la nourriture, je vais la prendre. Me voilà partie, mon sac de sport à la main. Après tout, ce ne doit pas être si difficile que ça. Je choisis le supermarché d'un quartier où personne ne me connaît. Le cœur battant, mais fermement décidée, j'entre. Ce jour-là, pour assouvir ma rage de nourriture, je vais apprendre à voler. Je passe à la caisse avec un paquet de café à la main, mon sac rempli de nourriture. Je ne dois ni trembler ni paniquer. La caissière me dit simplement bonjour, je paie, et trente secondes plus tard, je suis dehors avec mon trésor, rassurée et pressée d'aller manger. Dorénavant, cela deviendra une habitude. Manger en aussi grande quantité coûte cher. Je développe des habiletés à me fournir ma drogue, rapidement et gratuitement. Que demander de mieux ?

Mai 1968. La colère gronde, les grèves se succèdent. La fin de l'année est sanctionnée par le baccalauréat, examen qui ouvre la porte de l'université. Je décide tout bonnement de ne pas le passer. De toute façon, ça ne servirait à rien, je n'ai pas étudié. Mon avenir de boulimique me préoccupe bien davantage. Je prends conscience que j'ai un grave problème, sans en comprendre vraiment les raisons ni connaître les moyens de m'en sortir. Ce sera mon mai 68, une année d'échec... Mon estime de moi est totalement inexistante, elle est anéantie à chaque orgie alimentaire.

Heureusement, ce sont les vacances d'été. La colère de mon père devant mon échec scolaire s'estompe, mes crises aussi. J'ai retrouvé un certain équilibre affectif auprès de ma mère. Les nuages noirs de la boulimie s'effacent tout doucement, le calme revient. Enfin quelques mois de paix et de tranquillité...

Mais au mois de septembre resurgit la peur de la séparation. Je vais me retrouver seule en pension pour la nouvelle année scolaire. Ma sœur est rentrée à l'université. Elle, elle a eu son bac... Maman m'accompagne au foyer, comme l'an dernier. Mais dès son départ, la panique et l'angoisse prennent possession de mon corps tout entier. Il me faut être près d'elle, c'est tout simplement une question de survie. Je ne respire plus, je tourne en rond comme une bête en cage. J'ai peur. Je respire de plus en plus mal, jamais je n'ai vécu une crise d'angoisse aussi aiguë. Je suis incapable d'y faire face, je pense mourir. J'ai l'impression de me vider de mon sang, les extrémités de mes doigts et mes mains s'engourdissent. Je me précipite au rez-de-chaussée à la cabine téléphonique. Maman doit être arrivée à la maison : il le faut… C'est un appel déchirant et désespéré que je lance. En pleurant à gros sanglots, je la supplie de ne pas m'abandonner, de venir me chercher. J'ai besoin d'elle comme un nourrisson a besoin de sa mère. Maman a peur et plie. Elle revient me chercher. Plutôt que de couper le cordon ombilical, elle le solidifie. Sa décision est prise : elle fera cent cinquante kilomètres par jour pour me conduire à l'école le matin et venir me chercher le soir. Je suis rassurée, elle ne m'abandonne pas. Plus tard, ce sentiment de peur et d'abandon resurgira régulièrement à chaque séparation amoureuse : il se traduira par une impression de n'être plus rien, de me vider de toute substance. Chaque fois que je m'éloignerai de ma mère, je remplirai ce vide de nourriture, chaque fois que l'on m'abandonnera, je me remplirai… à ma façon.

Pour le moment, j'ai réintégré le cocon familial. Et puis j'ai maman pour moi toute seule. Mon frère et ma sœur sont tous les deux à l'université, loin de notre ville. Je vis la plus belle année de mon adolescence. J'occupe la première place, enfin. L'année s'achève par un brillant succès : le baccalauréat avec mention. Mon père, pour la première fois de ma vie, se jette dans mes bras et me dit sa fierté. Lorsque je réussis, il m'aime ! À moi de faire en sorte de réussir ma vie, d'être brillante, de lui faire honneur… Les études, le travail acharné et surtout l'amour de maman ont pour quelques mois remplacé la nourriture. Je suis sortie de l'ornière. Mais c'est un bref répit, je l'apprendrai à mes dépens.

•

Cette même année a lieu la deuxième grande séparation. Je pars à Toulouse étudier le droit à l'université. Deux cents kilomètres me séparent désormais de ma mère. Je vis avec ma sœur dans un petit studio en plein centre-ville. Pas besoin de travailler ni de subvenir à mes besoins : mon père paye les études de ses enfants et tous les frais qui s'y rattachent, y compris le loyer, les vêtements et… la nourriture. Il m'a également offert ma première voiture, une 2 CV. J'ai très hâte de quitter la maison pour me prouver que tout va bien, que le passé est oublié, que je suis « grande ». Je me persuade que je n'ai fait que quelques faux pas...

La cohabitation avec ma sœur est assez tumultueuse. Nos rythmes de vie sont en totale opposition. Je me couche quand elle se lève et son sérieux m'exaspère. Je fais l'apprentissage de la vie nocturne, je passe des nuits à droite et à gauche, je consomme beaucoup d'alcool, beaucoup trop. Commence alors pour moi une vie de débauche. Jusqu'à présent, mes amours étaient des amourettes d'adolescente, j'étais encore vierge en arrivant dans la grande ville. Très vite je ressens le besoin de l'amour des hommes comme de la nourriture, avidement, goulûment. Je suis perpétuellement insatisfaite. Aucun homme n'arrive à me sécuriser, aucun homme ne remplit jamais mon vide. Je veux qu'on m'aime sans condition, je cherche cet amour à n'importe quel prix. Aussitôt que je crois l'avoir trouvé, je teste sa force, ses limites. Et généralement je les trouve...

J'ai trop bu hier, trop mangé, pas assez dormi. Résultat : j'ai la nausée, mais cela ne m'empêche pas de faire cuire de la semoule de blé dans du lait très sucré. J'en avale des kilos et, repue, je dors jusqu'au milieu de l'après-midi. Tous les soirs, je rôde dans les bars de Toulouse. Peu à peu, j'ai établi des relations avec des gens de la nuit. On finit toujours par se reconnaître, se retrouver. Puis c'est le moment du dernier verre, encore un dernier avant d'en finir avec cette nuit. Une fois de plus je me trompe, je rentrerai blessée et amochée. Je mange moins en ce moment, j'ai remplacé la bouffe par la baise... C'est mieux pour la ligne, mais plus dur pour le cœur. Je ne choisis pas vraiment mes amants d'une nuit ; l'important est que des bras m'enveloppent, qu'un souffle de vie éclaire mon visage, ne serait-ce qu'un court instant. Mais j'espère toujours que ça dure, que quelqu'un m'aime enfin...

•

Après l'échec de ma première année de droit, mes parents, découragés, décident de m'envoyer passer un an en Angleterre comme fille au pair. Au moins, se disent-ils, « elle apprendra à parler anglais » ! Dès mon arrivée, un sentiment bien connu d'abandon refait surface, le même que d'habitude. Celui qui me fait manger, celui qui me fait paniquer, celui qui me fait sans cesse revenir à la maison… Sans prévenir qui que ce soit, je quitte l'Angleterre. J'ai besoin de ma mère. Je sonne à la porte de la maison, ma valise à la main.

En ce mois de janvier 1971, mes relations avec mes parents commencent à se gâter. Jusqu'à présent, probablement en raison de ma tentative de suicide, ils toléraient mes écarts de conduite. Depuis mon départ pour l'université, j'ai beaucoup changé, ils ne peuvent que s'en rendre compte. Mais jamais nous n'en parlons, jamais nous n'abordons le sujet de mes angoisses, de mes retours incessants au point de départ : la maison parentale. Ma boulimie s'amplifie, je vole de l'argent à ma mère pour m'acheter à manger, parfois je vide la boîte de biscuits. Le silence règne toujours, à part les cris de fureur de mon père parce que j'ai mangé « ses » biscuits et « son » chocolat. Ma mère, inquiète de me voir prendre du poids, me conduit chez un endocrinologue. Cette journée-là, il fait chaud, très très chaud. Mon pantalon noir me colle à la peau, ma blouse à petites fleurs est trempée de sueur. Me déshabiller devant cet homme me terrifie. Mon corps me répugne, il me dégoûte de plus en plus. Il est gros, bouffi. Je ne lui dirai pas que c'est de trop manger ; je ne lui dirai pas que je rêve de vomir après avoir mangé, mais que je n'y arrive pas souvent… Quelque temps plus tard, le diagnostic sera clair : je n'ai aucun dérèglement hormonal.

Puis je dérive, loin et profondément. Retour à la maison, en pleine dépression et plus que jamais boulimique. Je ne dis rien, je vide les placards… Maman me conduit alors chez un psychiatre sur les recommandations du médecin de famille. Mes parents se sont tournés vers ce qu'ils croyaient être la meilleure solution. Ignorer mon état dépressif aurait constitué un acte grave : en termes juridiques, cela s'appelle la « non-assistance en personne en danger ». Et ils se rendaient bien compte que mon rapport avec la nourriture était anormal. Mais savaient-ils qu'une personne comme moi s'appelle une boulimique? En privé, qu'ont-ils dit au psychiatre? Et qu'est-ce que cet homme à lunettes, monsieur K., leur a dit? J'étais, paraît-il, en danger, je n'avais plus prise sur la réalité, je ne fonctionnais plus, je survivais temporairement. Du moins, c'est ce qu'on m'a raconté. Il y a même certains épisodes que je ne connaîtrai jamais. Lorsque, plus tard, je poserai des questions à maman, elle répondra invariablement: «Cela ne sert à rien, c'est le passé.» Jamais je n'obtiendrai de réponses à mes questions... Pour le moment, tous ces adultes ont décidé de m'envoyer dans une clinique psychiatrique...

Sur la route de l'hôpital, je suis anxieuse. Ma mère tente de me rassurer: «C'est pour ton bien, tu es fatiguée.» Sa voix est douce et aimante. Ses grands yeux limpides sont recouverts de ce voile de tristesse qui est toujours là lorsqu'elle me regarde. Elle sent que je souffre mais ne sait pas quoi faire. Elle ne comprend pas. Comment le pourrait-elle? Elle m'a élevée comme les autres... Pourquoi suis-je différente? La main dans la main, nous franchissons la porte d'entrée. Quelques malades déambulent, calmes et obéissants. Le silence est pesant. La blancheur et la propreté de l'endroit sont à l'image de ce que sera ma mémoire à la fin du traitement. Une infirmière me prend en charge: les adieux sont rapides. Nouvelle séparation maternelle. Je commence à m'affoler. Si aujourd'hui je pouvais refaire ma vie, c'est à cet instant que j'en changerais le cours en m'enfuyant à toutes jambes, le plus loin possible.

À partir de ce moment, on me volera trois semaines de ma vie. Le psychiatre me reçoit dans son bureau et m'explique ce qui va se passer. Il appelle ça une cure fermée: en termes clairs, vous entrez là un matin et vous vous réveillez vingt et un jours plus tard. Une cure de sommeil en bonne et due forme. Paraît-il que l'on en sort guéri. Après tout, on ne peut dormir et manger en même temps... Les trois semaines écoulées, on me transfère dans une autre partie du bâtiment.

Je me lève ce matin de bonne humeur: j'ai perdu du poids! Mais est-ce simplement l'effet des médicaments? J'en avale trente-trois par jour: gouttes (oxaflumine, si ma mémoire est bonne) et pilules de toutes sortes. Mon cerveau est gelé, et moi aussi. Un matin sur deux, dès le lever, je me précipite à ma porte. Si un morceau de sparadrap y est collé, cela signifie que je vais recevoir une perfusion d'Anafranil. On me plante une aiguille dans le bras, je compte jusqu'à trois et bonne nuit jusqu'à midi! Ce sera mon quotidien pendant plusieurs semaines.

Au bout de deux mois, on m'autorise à aller chez mes parents pour une fin de semaine. J'ai hâte de revoir maman. C'est elle qui va venir me chercher. C'est toujours elle qui s'occupe de moi, jamais papa. De retour à la maison, je monte dans ma chambre faire une sieste. Je me réveille en hurlant: « Maman, maman! » Je ne sais plus où je suis, je tremble de peur. Maman entre précipitamment dans ma chambre et je me blottis dans ses bras en pleurant. Elle me caresse les cheveux.

« Ce n'est rien, je suis là, il ne t'arrivera rien. Veux-tu venir au salon?

— Oui, mais seulement si tu restes avec moi. »

Nous descendons nous asseoir au salon. Pendant qu'elle tricote, je tente vainement de lire un journal. Mes yeux n'arrivent pas à fixer les lignes de mots. Mon frère, présent, m'observe. Subitement, il se lève et apostrophe mes parents:

« Vous allez laisser faire cela? L'avez-vous regardée? Elle est complètement droguée.

— S'il te plaît, Bernard, ne commence pas ce genre de discussion. Elle est simplement fatiguée. »

La dispute entre mon frère et mes parents prend de l'ampleur. Je les entends argumenter. Maman, désemparée, dit sans arrêt: « C'est pour son bien, c'est pour son bien. » Elle ne comprend pas ma maladie, je ne la comprends pas non plus. Je crois que personne ne sait exactement ce qui m'arrive…

Je reste assise deux jours, sans bouger, près de la cheminée. Un fait nouveau: je perds mes cheveux. Cela doit être normal…

Le lundi matin sonne le retour à la clinique. Au moment de me quitter, maman me rassure en me disant que je sortirai bientôt, que je vais mieux. Pourtant, cet après-midi, j'attends impatiemment la promenade quotidienne. Tous les malades en voie de guérison ont l'autorisation d'aller au village. Certains y achètent un journal, d'autres des bonbons, d'autres encore y vont pour rien. Moi, je veux manger. N'importe quoi, mais manger. J'ai dans la tête un seul but : entrer à l'épicerie. Une boulimique n'oublie jamais comment vider un étalage. Je vais le prouver. En quelques secondes, je repère les rayons où se trouvent les aliments défendus. Je remplis mon panier à toute vitesse et n'attends même pas d'avoir payé pour commencer à manger une plaque de chocolat. Pour un instant, le calme m'envahit. Je reconnais cette sensation éphémère et fugace de bien-être, au moment précis où mon estomac se remplit. La souffrance ne vient qu'après. Une fois le réflexe d'avaler passé, je me rends compte que je suis toujours droguée à la nourriture, toujours dépendante de ce besoin de me remplir.

Arrivée à la caisse, je suis gênée de présenter l'enveloppe vide du chocolat. Je la pose en dernier sur le tas de bouffe, un léger sourire aux lèvres. Je dois tromper la caissière ! Quelques instants plus tard, de retour à la clinique, j'engloutis la nourriture. Dorénavant, je vais attendre l'heure de la promenade comme un drogué attend sa dose d'héroïne. Trois mois après mon entrée à la clinique, je reviens à la case départ. Rien n'est réglé, je me sens aussi perdue, aussi angoissée à l'idée de vivre seule, sans maman...

•

À ma sortie de l'hôpital, je rentre à la maison. Je reviens toujours à la maison, quel que soit l'endroit d'où je pars, quelles que soient mes bonnes intentions. Point d'ancrage en partie responsable de mes désordres affectifs mais aussi lieu de sauvetage. Maman est là, c'est le plus important.

Je suis revenue chez mes parents après un bref passage en maison de repos, transition entre la clinique et la « vraie » vie. Je ne me sens pas bien du tout, complètement déconnectée de la réalité. Malgré la patience angélique de maman, les relations familiales se détériorent. Je deviens agressive, comme si j'en voulais à mon père et à ma mère d'avoir fait de moi ce que je suis. J'erre à longueur de journée, je ne fais plus rien, je survis mais ne me supporte plus. Mes parents, complètement dépassés, sont dans l'incapacité de m'aider.

Encore une fois, je vais tenter de couper ce lien maternel si fort et qui m'empêche de vivre. Je quitte la maison et loue à bonne distance une chambre meublée. Je suis sans travail, mes parents me donnent de l'argent tous les mois. C'est leur manière de m'aider… La seule qu'il leur reste. Les jours se suivent, semblables aux précédents. Les matins de dérive, ma seule obsession est de manger, n'importe quoi, mais manger. Je vole régulièrement ma nourriture. Certains jours, je vais dans les marchés publics. Les marchands donnent à ceux qui les demandent toutes les entames de jambon ou les croûtes de fromage qu'ils destinent aux animaux. Ils me connaissent bien. Je leur ai dit que j'ai deux énormes bergers allemands… Je cherche du travail, mais sans grande conviction, je n'ai envie de rien. Je ne sais pas ce que j'attends, ma vie est entre parenthèses depuis longtemps. Je meurs à petit feu.

Ce matin, je me lève avec une idée fixe : aller voir maman, rentrer à la maison. Un sentiment que je connais bien, une angoisse très familière. Me revoilà au volant de ma voiture. Deux cents kilomètres et je serai arrivée. J'ai besoin de la voir, d'être avec elle pour quelques jours. J'ai l'impression que cela m'aidera à continuer de vivre. En me voyant, maman n'est pas étonnée. Résignée, elle s'attend toujours à me voir arriver avec mes valises. Mais elle m'apprend que ma sœur doit venir passer quelques jours elle aussi. Quelque chose se brise soudainement. Je me sens trompée, flouée. Ma sœur n'a pas le droit de venir ici, il est hors de question que je partage maman. Je la veux pour moi toute seule. La colère m'étouffe, je tente de me raisonner et de me calmer. La tension monte, mon besoin de manger s'accroît. Je tremble de la tête aux pieds, un sentiment de panique, toujours le même. J'ai l'impression qu'on va m'arracher ma mère, me l'enlever, et mon corps ne le supporte pas. J'essaie de cacher les sentiments de haine qui m'animent. Je déteste cette sœur qui va me voler ma mère. Ma respiration se fait plus courte. Puis j'entends la voiture de ma sœur arriver. C'est fini, je perds toute retenue. Je descends les marches quatre à quatre vers le garage, j'aperçois une ombre en contre-jour, je m'approche et je mets à frapper ma sœur au visage, sans arrêt, mes poings cognent le plus fort possible. Et je crie : «Va-t'en, tu n'as pas le droit d'être ici. Va-t'en, maman est à moi.»

Je vois dans les yeux de ma sœur sa peur et sa souffrance. Je ne connais plus ma force. Je sais que je lui fais mal, mais je ne peux m'empêcher de la frapper. Complètement terrorisée, elle remonte dans sa voiture et s'enfuit. Je me précipite vers la porte du garage, je la ferme à clé, puis je grimpe quatre à quatre la volée de marches qui mène à l'étage. Je fais le tour de la maison et ferme tous les volets et les portes à clé. J'enferme donc maman à double tour. Prise elle aussi de panique, elle se réfugie dans sa chambre. Je vais la garder ainsi prisonnière toute la journée. Une journée d'horreur à pleurer et à crier. Une rage et une douleur profonde, viscérale. J'ai tellement mal que je demande en criant que tout s'arrête. Je hurle à travers la porte de la chambre : «Je te déteste, je te déteste.»

Puis je m'empare d'un balai et frappe dans la porte avec le manche. Je voudrais qu'on m'anesthésie, je voudrais mourir. À la place, je vide les boîtes de biscuits de mon père... Il ne saura jamais, comme il ne connaîtra jamais la raison exacte du trou dans la porte. Maman lui cachera mon geste et réparera tout...

•

Les fêtes de fin d'année approchent. J'ai emménagé dans un magnifique appartement sur une colline de Toulouse, vue imprenable et téléphone. Il appartient à des amis de mes parents et j'y loge gratuitement. Un coup de pouce du destin ? Avec ma famille, les rapports sont inexistants depuis le jour où j'ai mis ma sœur à la porte – j'ai appris que je lui avais cassé la mâchoire. Lorsque nous nous croisons dans la rue, elle change de trottoir. Je n'ai plus aucun contact.

Que se passe-t-il dans ma tête et dans mon corps? La bouffe est devenue ma drogue. Elle est légale et disponible. Je m'en sers pour me détruire. Malgré les laxatifs, les kilos s'accumulent. Je prends régulièrement la même résolution: demain, je me mets au régime. Rien de pire pour une boulimique. Plus je me prive, plus mes crises sont énormes. Mais ne pas manger et maigrir est le seul moyen que je connaisse pour m'aimer de temps en temps… une semaine, un mois, deux mois, au maximum quatre mois. J'oscille de plus en plus entre les périodes d'anorexie et les périodes boulimiques. Pour mes périodes d'anorexie, j'ai découvert un moyen de mastiquer sans engraisser. J'achète d'énormes bocaux de chewing-gums, des boules de toutes les couleurs, et cela me sert de nourriture. Le goût sucré me satisfait. Le monsieur qui me les vend au tabac du coin de la rue ne me pose pas de questions, mais il doit bien se demander ce que j'en fais… Je ne les mastique pas longtemps, juste le temps que le goût du sucre disparaisse. Je peux en avaler un kilo dans la journée. Quelques œufs durs, de la salade, beaucoup de café et deux à trois paquets de cigarettes. Je peux tenir longtemps ainsi, jusqu'à devenir très mince, presque maigre. Lorsque j'y parviens, je crois avoir gagné, je crois être enfin quelqu'un. Le monde m'appartient. Pour quelques semaines…

Aujourd'hui, je n'ai envie de rien. C'est le réveillon du jour de l'An. Je me sens en dehors de la vie normale, une fois de plus. J'ai mis mon éternel pantalon bouffant et ma grande blouse qui flotte sur mon corps difforme. J'ai très mal. La douleur de vivre s'accentue depuis quelques jours, ma maladie est plus que jamais incontrôlable, je suis au bord du précipice.

Invitée chez une copine pour fêter la nouvelle année, je bois sans arrêt. Les verres se succèdent: vodka, gin, vin. Je sens alors un déchirement intérieur douloureux, une brisure définitive: je ne veux plus de cette vie. Bientôt je ne mangerai plus. Je n'ai pas peur du tout. Je titube jusqu'à la salle de bains et ferme la porte. Au fond de mon sac se trouvent ma libération et ma guérison: mes médicaments. Je franchis cette sortie de secours en espérant ne plus jamais revenir dans ce monde que je déteste. L'anéantissement devrait être brutal, rapide. Cette fois-ci sera la bonne…

C'est le 1er janvier : je me réveille dans un lit d'hôpital. L'infirmière me souhaite une bonne année. Elle m'explique que je suis arrivée dans la nuit en ambulance et que l'on m'a fait un lavage d'estomac. Une fois de plus, la vie a gagné. Elle ne veut décidément pas me lâcher. Je ne suis ni heureuse ni malheureuse, mais fatiguée, j'ai la bouche pâteuse et la gorge douloureuse. Mon corps a cessé de lutter. Depuis combien de temps ne me suis-je pas reposée ? Le médecin de garde entre dans ma chambre et me pose quelques questions. Demain une ambulance me ramènera à la clinique psychiatrique où j'ai déjà été traitée.

Je m'en souviens comme si cela venait de se passer… Je porte ma longue robe de chambre en lainage bleu turquoise. Deux infirmiers m'allongent sur une civière. Transport dans les couloirs de l'hôpital, ambulance, arrivée à la clinique. Le psychiatre qui m'a déjà soignée refuse mon admission. J'entends encore sa voix : « Ce n'est plus de mon ressort. Son cas est trop grave. Emmenez-la à La Grave. Je vais faire le nécessaire pour qu'elle y entre. »

Il ne peut pas faire ça ! La civière fait demi-tour. Le verdict est sans appel. Le psychiatre qui devait être là pour m'aider vient de signer mon arrêt de mort. L'hôpital de La Grave est un vrai mouroir. (J'ai appris beaucoup plus tard que mon père avait attendu deux jours devant la porte de ce médecin pour arriver à lui parler, choqué par son attitude désinvolte. Le professionnel avait refusé de le recevoir.)

Retour en ambulance : que va-t-il m'arriver ? Est-ce bien vrai tout ce que l'on raconte ? Je suis en train de me perdre. Personne ne saura que je suis là, personne ne viendra m'aider.

Devant la porte du service psychiatrique de l'hôpital, mon appréhension se concrétise. C'est pire qu'une prison. Une infirmière tient à la main un énorme trousseau de clés. Une fois à l'intérieur, je l'entends fermer la porte derrière moi. Je suis prisonnière. D'un rapide coup d'œil, j'aperçois à ma droite un dortoir et, devant moi, deux autres dortoirs en enfilade. Des cris me parviennent du dortoir le plus éloigné. Je me mets à trembler. L'infirmière prend mon sac et vide son contenu sur le comptoir de l'entrée. Elle en retire tous les objets dangereux et enlève les lacets de mes chaussures. Je ne peux m'empêcher de la questionner.

« Qu'est-ce que vous allez me faire ?

— Le médecin va venir vous voir. »

Elle ne veut rien me dire.

« S'il vous plaît, est-ce que je peux téléphoner ?

— C'est interdit.

— Comment, c'est interdit ! Je dois prévenir ma famille.

— Le médecin le fera s'il le juge nécessaire. Maintenant, suivez-moi. »

Elle se dirige vers le dortoir qui me fait si peur. Je commence à comprendre et m'arrête en plein milieu du couloir.

« Pas question de vous suivre. Laissez-moi sortir d'ici, je ne suis pas folle !

— Taisez-vous et suivez-moi », ordonne-t-elle.

Incapable de me ressaisir, je hurle en suppliant qu'on me laisse sortir. Résultat : deux infirmiers m'agrippent et me conduisent jusqu'au dortoir. Après m'avoir déshabillée devant les yeux hagards de tous les patients, ils me passent une chemise de nuit en grosse toile avec un numéro. Je hurle de plus belle : « Je ne suis pas folle, laissez-moi sortir ! » Ils me sanglent dans mon lit. Une piqûre dans le bras, et je m'endors. Je viens d'être admise à l'asile d'aliénés...

J'entrouvre lentement les yeux. Mes mains et mes chevilles sont attachées. Mon lit se trouve près de la cloison et, en tournant légèrement la tête vers la droite, je peux apercevoir ce qui me tient lieu de chambre. Une vingtaine de lits occupent l'espace. Les murs, les draps, les uniformes, les chemises, tout est blanc. De longues heures s'écoulent. Enfin une infirmière vient me détacher et m'annonce mon transfert dans le troisième dortoir, celui des « cas légers ». Comble d'ironie, pour la première fois de ma vie, on me classe dans la catégorie « légère » ! Je suis libre de marcher de long en large, comme un ours en cage, et je peux échanger quelques paroles avec d'autres patientes.

J'ai une seule idée en tête : faire savoir à mon frère que je suis enfermée ici. Depuis que ma santé s'est détériorée et que mes problèmes de boulimie se sont amplifiés, il est le seul avec lequel j'ai des contacts. Il a compris ce qui se passait à la maison… Une patiente reçoit un visiteur tous les après-midi. Sur un bout de papier, j'inscris le numéro de téléphone de mon frère. Puis, m'approchant de la table où le visiteur et la jeune femme sont assis, je tends rapidement le papier à l'homme : « S'il vous plaît, pouvez-vous téléphoner à ce numéro ? C'est mon frère. Dites-lui où je suis. »

Cela n'a pris que quelques secondes. En tournant les talons, j'ose croire que cette personne répondra à ma demande.

Je fais connaissance avec les gens d'ici. Sylvie, ma compagne de gauche, vient de sortir de prison. Elle a agressé ses enfants. Myriam, la jeune femme à ma droite, est brisée. Depuis huit ans, elle arpente les couloirs de cet asile. Sa famille l'a carrément abandonnée. Elle ne croit plus en rien, ni en la vie ni en elle-même. Elle a à peu près mon âge et ressemble à une vieille femme. On l'a oubliée sur cette voie de garage. Un matin, elle a été conduite d'urgence à l'hôpital pour un lavage d'estomac. Jour après jour, patiemment, elle avait préparé sa mort en gardant tous les médicaments sous la langue au lieu de les avaler. Tous ces drames renforcent peu à peu ma volonté de m'en sortir. Moi, j'ai de la chance : on ne m'a pas totalement abandonnée.

Mon frère a finalement été avisé de ma présence ici. Il a signalé mon internement. Une amie de la famille tente en vain de me faire sortir – mes parents ne veulent alors plus entendre parler de moi. Le psychiatre est formel : je dois rester à l'asile. L'amie menace d'aller chercher la police si on m'empêche de sortir. Finalement, ma mère viendra signer une décharge : en clair, s'il arrive quelque chose de grave, c'est elle qui en sera responsable. Je n'apprendrai cela que des années plus tard. Pour l'instant, je sors, et c'est ce qui importe. En toute lucidité, je viens de passer le mois le plus désespérant de ma vie.

En ce matin de février, la lourde porte de l'hôpital s'ouvre sur ma liberté retrouvée. Le ciel bleu a la pureté des mois d'hiver. Tournant le visage vers le soleil, je jure de ne plus jamais attenter à mes jours. Je suis loin de me douter qu'il me reste quinze ans d'enfer à vivre...

Femme à tout prix

Premier objectif à ma sortie de l'hôpital : me sevrer rapidement de tous mes médicaments et... me mettre au régime. Rien de neuf, toujours la même obsession et la même certitude : tout ira mieux lorsque j'aurai maigri. Régime sévère : moins de huit cents calories par jour. Munie d'un petit livre indiquant les calories que contient chaque aliment, je prépare religieusement mes repas. Il n'y a rien dans mon assiette. Le nombre de calories ne représente que la moitié d'une portion normale pour une femme adulte. Je pèse tout au gramme près. Et je supprime complètement les graisses et le sucre. Plus une goutte d'huile dans mes salades, plus un seul morceau de fromage, plus aucune céréale, ni pâtes ni pain, aucun féculent et un fruit par jour ! Manger devient un supplice et une immense frustration à tous les repas. Au petit-déjeuner, mes deux biscottes nature trempées dans un café sans lait ne font que me donner de l'appétit. Je crois qu'il vaudrait encore mieux ne rien manger. Mais mes kilos fondent à vue d'œil. Encouragée, je décide de diminuer encore les portions de nourriture : cinq cent calories et d'ajouter une demi-heure d'exercice par jour. Moins je mange, plus je fume et plus je bois du café. J'ai désormais de plus en plus de difficulté à m'endormir. C'est le prix à payer pour m'aimer, c'est du moins ce que je crois. Prise dans cette spirale de bonnes résolutions, je décide de chercher du travail. Je décroche un emploi temporaire en comptabilité chez Hachette, à trente minutes à pied de l'appartement. Je commence à me sentir bien, de mieux en mieux. Après trois mois, j'ai beaucoup maigri. Enfin je me sens belle, désirable et... guérie. Je retrouve le goût de rire et un peu d'estime de moi. Et puis on renouvelle mon contrat chez Hachette. Tout va pour le mieux.

J'occupe mes fins de semaine à flâner, à aller au cinéma ou aux puces. Cette dernière activité me plaît beaucoup. Tous les dimanches matin, les antiquaires de la région de Toulouse se regroupent autour de l'église Saint-Sernin, point de rencontre des amateurs de vieux meubles. Aujourd'hui, j'y vais avec ma copine Claudine. Partie de rire garantie. Comme nous tournons avec les autres badauds, un homme s'approche et nous salue :

« Bonjour, Claudine, comment ça va ?

— Bonjour, Patrick. Comme si ça ne suffisait pas que je te voie au bureau ! » répond-elle en riant.

Puis se tournant vers moi, elle ajoute :

« Je te présente mon amie Annick. »

Il se tourne vers moi et me serre la main :

« Enchanté. »

Ses yeux pétillants de malice et son sourire me séduisent. Mon cœur chavire, mes mains deviennent moites, j'ai peur de rougir. Il a un je ne sais quoi qui me fait perdre mes moyens. Je n'ose pas trop le regarder, je le laisse parler avec Claudine quelques instants. Le timbre de sa voix ajoute à son charme. Puis nos regards se croisent. Je sais alors que nous allons nous revoir. J'y lis un désir égal au mien, une gourmandise égale à la mienne...

Nous nous disons au revoir. Il part de son côté et nous du nôtre. Je me renseigne auprès de mon amie. Patrick est marié, mais son mariage ne semble pas fonctionner très bien. Claudine me connaît, elle sait déjà que je ne lâcherai pas prise, que cet homme m'a littéralement séduite. À plusieurs reprises je rendrai visite à Claudine à son travail, le samedi matin, ce qui me donnera l'occasion de le revoir. Peu de temps après, Patrick m'invite à aller prendre un café. Ainsi voit le jour mon premier grand amour...

Pendant quelques mois, sa femme s'absente souvent pour des raisons professionnelles. Patrick en profite pour passer beaucoup de temps avec moi, y compris les fins de semaine. Complicité, tendresse, amour fou sont notre quotidien. Nous passons surtout beaucoup de temps au lit et à table ! Quand je suis avec lui, je mange normalement et, le reste de la semaine, je me vide : laxatifs et quasi-jeûne. Il ne se rend compte de rien. Je n'ai plus de crise de boulimie, je ne prends pas de poids. Je suis amoureuse pour la première fois de ma vie, mon travail me plaît, j'ai l'impression de revivre. Patrick et moi avons les mêmes goûts, les mêmes intérêts. Les après-midi se passent dans les librairies ou au cinéma et les fins de semaine au bord de la mer ou à faire du ski – quand il peut se libérer. Pour la première fois je me sens bien avec un homme ; pas de compétition, pas de « je dois être à la hauteur ». Une vraie complicité s'établit entre nous. Et puis ce bon vivant est d'une drôlerie imbattable. Je me mets à rêver que peut-être il divorcera. Ma famille est au courant, personne ne fait de commentaires. Pour mes parents, tout est calme, c'est le principal. Je semble enfin heureuse… Nos rapports sont moins distants et, avec le temps, ma sœur s'est réconciliée avec moi. Que demander de plus ? Serais-je enfin comme tout le monde ?

Mais petit à petit, je recommence à prendre du poids. C'est un peu inévitable. Avec Patrick, je mange beaucoup, je perds toute volonté. Pas question de lui expliquer ce que je vis, pas question de lui avouer mes problèmes de boulimie et mon passé. En perdant le contrôle de mon poids, je perds le contrôle de ma vie. J'ai peur, je sais que je ne suis pas guérie. Ma vie n'est pas celle d'une personne normale. Soit je suis au pain sec et à l'eau, soit je m'empiffre en me disant : « Demain j'arrête, demain je me mets au régime. » À mes yeux, si je grossis, je ne vaux plus rien, je ne m'aimerai plus. Grossir signifie échouer. Échouer également dans ma vie amoureuse. Personne ne peut aimer une fille grosse, personne ne peut aimer les rondeurs. Heureusement, Patrick ne vit pas avec moi. Ainsi, il ne me voit pas les lendemains de fête, les lendemains gris et tristes. Ces lundis matin où je regarde mon assiette de petit-déjeuner presque vide avec tout juste un demi-pamplemousse, et un café noir. C'est de nouveau la lutte contre les kilos, de nouveau la lutte contre ce besoin de manger qui me revient. Je prends conscience que je ne sais plus manger, que je ne sais plus me mettre à table comme tout le monde. Et puis grossir me rend agressive. Certains jours, je fais passer Patrick dans les chaudrons du diable… Il met mes sautes d'humeur sur le compte de ma tête de cochon. Il m'avouera des années plus tard qu'il se rendait bien compte que je grossissais et maigrissais à vue d'œil, mais comme la majorité des femmes françaises étaient – et sont toujours – au régime, je ne faisais pas exception… En plus, Patrick m'aimait, que je sois mince ou grosse…

Je me rends compte que mon amour pour Patrick ne change pas ma vie et je lui reproche ses visites trop courtes. Sa femme étant plus souvent à la maison, sa marge de manœuvre diminue. Et mes crises de boulimie augmentent. Chez moi, la quantité de nourriture avalée est inversement proportionnelle à la quantité d'amour disponible. Il m'aime, mais pas encore assez…

Pour me faire plaisir, Patrick planifie de se libérer d'ici un mois, pour toute une fin de semaine. J'ai donc quatre semaines pour me remettre en forme, plus précisément pour perdre huit kilos. Pas question de partir avec cette graisse en trop sur mon corps. Trente jours de quasi-jeûne : deux œufs durs avec des tomates ou steak salade. Tous les jours les mêmes aliments, tous les jours les mêmes frustrations. Et, bien sûr, beaucoup de café et de cigarettes. Quand j'ai trop faim, je mange du yaourt et quand je manque de sucre, des boules de chewing-gum. Je ne prends plus de petit-déjeuner ni de goûter. Au bout d'une semaine, c'est moins difficile, car j'ai moins faim. Et puis les résultats sont stimulants. Je maigris très vite. Je serai prête à temps.

Le jour du départ arrive, je suis excitée et apaisée à la fois. Excitée par ces beaux moments qui m'attendent et apaisée, car ma soif d'amour va être rassasiée. Nous partons à Sète, au bord de la Méditerranée, pour ne pas risquer de rencontrer mes parents qui, eux, affectionnent l'Atlantique où ils possèdent une maison. J'ai envie d'avoir la paix, et les voir me déséquilibre toujours. Le problème n'est toujours pas identifié, mais je me cache la vérité et préfère aller de l'avant. Je ne me doute pas que le passé me rattrapera plus tard. Avant de partir, je suis allée m'acheter de nouveaux vêtements, je n'ai jamais été aussi mince. Je me sens belle. Le monde m'appartient, ou presque… Au fond de moi reste ancrée une certitude : je ne serai jamais comme tout le monde. Je souffre de ma différence. Pour être aimée et pour m'aimer, je paie très cher : je m'affame régulièrement et je cache mon obsession. Et je remarque qu'elle s'amplifie. Je ne supporte plus un gramme de graisse, plus je suis mince plus je veux maigrir, ce n'est jamais assez. Lorsque je pars, comme aujourd'hui, pour une fin de semaine, j'ai peur, peur des grammes que je vais prendre – et cela arrive inévitablement. Cependant, je fais toujours bonne figure, personne ne se rend compte de rien. Je mange même avec appétit, dessert y compris. J'ai l'air d'une bonne vivante. Mais à l'intérieur de moi, une lumière rouge s'allume : « Annick, régime draconien à partir de lundi. » Je me sens grossir à la première bouchée… et devenir laide, encore et toujours. Je sais que je vais passer le reste de mes jours au régime et je n'arrive pas à l'accepter. Je me rends compte que pour une boulimique, vivre est impossible. Je n'ai toujours pas compris que mon amour de moi et des autres existe bien au-delà de l'image physique.

Patrick a réservé une chambre dans un endroit magnifique avec cour intérieure et palmiers. Un nid douillet pour nous aimer en toute tranquillité, seuls au monde comme des amoureux. Nous décidons d'aller dîner sur le port. En cette soirée estivale, les quais grouillent de monde. Perdus dans la foule, nous nous promenons main dans la main sans risquer de faire des rencontres importunes. Soudainement, une voix en arrière de moi crie : « Annick, Annick ! »

Je reconnais la voix de mon père. Non, c'est impossible, pas mes parents… Je me retourne et les aperçois en compagnie de leurs amis, les propriétaires de l'appartement où je vis. Étonnés et ravis à la fois, ces derniers nous invitent à prendre l'apéritif chez eux – ils ont une villa sur les hauteurs de Sète. Mal à l'aise, Patrick tente de cacher son alliance et moi, de faire bonne figure. Ma mère s'approche et me glisse à l'oreille : « Fais attention, Annick. » Elle a peur pour moi, mais je n'ai vraiment pas envie d'entendre ce genre de réflexion. Mon père, quant à lui, ne dit rien ; il joue le jeu en étant probablement très mal à l'aise. Sa fille sort avec un homme marié, ce n'est pas facile à dire à des amis qui vont certainement poser des questions dès que nous aurons le dos tourné. Décidément, rien ne change dans mes relations avec la famille…

Un inconfort s'installe à l'intérieur de moi. Je me sens jugée, une fois de plus. Et toute mon estime de moi fond comme neige au soleil. Je ne suis pas du tout solide. À cela s'ajoute une immense tristesse, innommable. Mon cœur se serre à la vue du regard de maman. Elle a toujours ces yeux implorants, comme si elle demandait au ciel d'aider sa fille, comme si elle avouait son impuissance à m'aider. Je l'aime trop et mal, elle ne peut répondre à ma demande. Là, à cet instant précis, je voudrais que tout le monde disparaisse à part elle. Je me blottirais contre elle, elle me bercerait et me dirait son amour. Et je suis sur cette terrasse en train de boire un apéro, comme une grande, avec l'homme qui l'a remplacée et que j'essaie d'aimer du mieux que je peux.

Devant eux je fais semblant que tout va bien ; je suis une experte en camouflage. Je me demande pourquoi mes parents ont tant d'influence sur moi. D'où vient cette emprise ? Qui suis-je ? Je chasse toutes ces interrogations en plongeant avidement la main dans les plats de cacahuètes et d'amuse-gueule. L'alcool et la nourriture font leur travail : j'oublie tout pendant deux heures. Puis nous les quittons et retournons au port. Je me sens perdue. Et l'obsession terrible refait surface : je veux manger, immédiatement. Pendant le dîner je dévore, prétextant que la journée passée à me baigner m'a creusé l'appétit. Très gourmand, Patrick m'accompagne sans difficulté. Il ne peut deviner mon désarroi parce que je n'ai rien à en dire, parce que je ne sais pas en parler. Un tiraillement familial, un besoin immodéré de maman et un rejet total de papa. C'est peut-être à cause de lui qu'elle a ce regard-là, c'est peut-être à cause d'eux que je suis incapable de vivre. Pour l'instant, je veux simplement sentir les mains de Patrick sur mon corps, son souffle sur mon visage, et puis le silence du sommeil…

Le lendemain, nous repartons déjà pour Toulouse. La fin de semaine a passé très vite et je ne veux pas rester seule. Pourtant, il va bien falloir que Patrick rentre chez lui, auprès de sa femme. Je supporte de moins en moins cette situation, surtout après de longs moments d'intimité. Et puis j'ai peur, car je sens que la nourriture reprend sa place, la première. L'amour de Patrick ne suffit plus...

Le retour en voiture est très désagréable. Je suis extrêmement serrée dans mes vêtements, j'ai trop mangé et, comme chaque fois, j'ai pris très rapidement du poids. Mon corps affamé engrange et profite du moindre morceau de nourriture. Ma perte de contrôle me met chaque fois de très mauvaise humeur, je deviens méchante et agressive. La route est longue pour Patrick. Je le harcèle pour qu'il quitte sa femme, je le veux pour moi toute seule, je le traite de lâche et de profiteur. Et, bien sûr, surgit l'inévitable phrase dans ce genre de situation : « Si tu m'aimes, divorce ! » J'ai vingt-quatre ans, je veux vivre au grand jour. Ma vision du couple n'est pas celle de l'illégitimité. Au fond, je mélange tout : il me faut un responsable. Parfois c'est mon père, parfois c'est Patrick. Maman reste intouchable... Je me sens perdue, abandonnée.

C'est alors que recommencent les crises de boulimie à n'en plus finir. Je ne tolère plus les allées et venues de Patrick. Le dérapage va être rapide. Il va payer, c'est inévitable. Je vais lui infliger le même traitement qu'à moi. Et d'adorable que je suis en période d'anorexie, je deviens détestable en période de boulimie. Haïr et détruire : je ne sais faire que ça. Je suis incapable de m'arrêter, je me déteste trop. Cette force destructrice est incontrôlable. Elle me fait peur à moi-même autant qu'aux autres, elle me possède et me démolit. Je suis totalement impuissante. Réveillée cette fois-ci par un contact parental, elle peut aussi être déclenchée après une parole désobligeante, un jugement négatif. Je me dénie sincèrement et profondément. Tout d'un coup, je ne suis plus rien, je ne vaux plus rien : la machine est en marche, elle ne s'arrêtera qu'au bord du précipice. Plus Patrick s'éloigne pour se protéger, plus je l'agresse, plus je mange, plus je m'enfonce.

Et je le mets à la porte, comme ça, sur un coup de tête, comme j'ai déjà tenté de me séparer de ma mère. J'ai envie de lui dire : « Tu vas voir ce que tu vas voir, je suis capable de vivre seule, je n'ai besoin de personne. » C'est vendredi, il est venu pour dîner et je lui ai demandé de s'en aller, tout simplement. En cinq secondes, j'ai décidé de fermer la porte sur trois ans et demi d'une histoire d'amour à nulle autre pareille.

Le lundi matin, pendant que j'engloutis des pains au chocolat, des croissants et des tartines beurrées avant de partir au travail, je prie le ciel de venir me chercher. Ça fait trop mal, je ne suis plus rien, je ne vaux plus rien. Mais le ciel ne m'entend pas, et puis j'ai donné ma parole, un jour, que je resterais sur terre. Mais j'en suis incapable. L'homme que j'aime est parti, je lui ai demandé de détourner son regard d'une outre qui se remplit, qui a mal et qui pleure sur ses vomissures.

Quelques mois plus tard, j'aurai trente kilos en plus et le cœur en miettes après avoir vomi tout mon désespoir. Mon contrat chez Hachette est terminé.

●

Aujourd'hui est un grand jour : j'ai décidé de me reprendre en main, j'entreprends le régime Atkins, un régime miracle qui fait fureur. C'est le bonheur suprême : pas de quantités limitées, il suffit de supprimer tous les hydrates de carbone : ni légumes, ni fruits, ni céréales. On peut cependant manger n'importe quelle quantité de viande, de gras, d'œufs, de charcuterie... J'ai lu et relu ce livre, je le connais par cœur avant même d'avoir commencé à suivre les conseils qui s'y trouvent. Les cas vécus sont mes passages préférés. J'aime savoir que des gens ont réussi, j'aime lire leur victoire sur la nourriture et le poids. Et j'ai la conscience tranquille, l'auteur est médecin. Je ne risque rien.

Je maigris à vue d'œil. Un effet secondaire : j'ai une haleine épouvantable. C'est normal, le corps, paraît-il, produit de l'acétone. C'est ce qui est écrit... Une de mes amies qui étudie en médecine me fait la morale : ce régime est dangereux, plusieurs femmes sont arrivées aux urgences dans un état critique. Mais je persiste. Pendant deux mois, je vais m'empiffrer de fromage, de pâté et de viande. J'ai perdu quinze kilos, il m'en reste encore autant à perdre. Mais je commence à être frustrée. Je regarde avec envie les vitrines de pâtisseries, je rêve de chocolat et de croissants. Combien de temps vais-je tenir ? Une semaine ? Un mois ? À peine quinze jours et l'orgie de sucre a lieu un soir, au retour du travail. Les bras chargés de deux kilos de glace, de quatre plaques de chocolat et de paquets de biscuits, je rentre à la maison. Je mangerai ces provisions en une soirée. Deux mois plus tard, j'ai repris vingt kilogrammes. Je pèse donc cinq kilos de plus qu'au début du régime. Je suis totalement anéantie.

Je constate que plus je suis des régimes, plus ma boulimie prend de l'ampleur et plus je grossis. J'ai perdu tout repère par rapport à la nourriture. Je tente toutes les directions possibles pour m'en sortir, mais ce sont généralement de fausses pistes, toujours des miroirs aux alouettes tendus par des gens peu scrupuleux. Mais ma fragilité est telle que je me laisse influencer chaque fois. Je crois toujours que mon problème de poids se réglera par un régime. Je dissocie mes problèmes psychologiques de mon problème alimentaire.

Pour ajouter à ma déprime, je viens de perdre mon travail au cabinet dentaire où j'étais secrétaire depuis plusieurs mois. Désemparée, je me dirige vers la poste pour téléphoner à mon frère. Depuis mon appel à l'aide de l'hôpital, je lui raconte régulièrement mes mésaventures et il m'aide parfois financièrement. Il m'annonce qu'un de ses amis journalistes s'est installé à Toulouse pour créer un nouveau journal, genre *Libération*.

« Pourquoi n'irais-tu pas le rencontrer ? Tu pourrais peut-être y travailler, me dit-il enthousiaste.

— Je n'ai jamais fait de journalisme, ni quoi que ce soit qui s'y rapporte.

— Voyons, Annick, qu'est-ce que tu risques de te présenter ? Dans ce genre de projet, il y a toujours du travail pour qui s'y intéresse. »

Je note le nom et le numéro de téléphone de la personne à contacter et rentre à la maison. J'ai besoin de réfléchir, de me calmer. La flamme de l'espoir se rallume en moi. Et si je plaçais mes intérêts ailleurs pour un moment, en dehors de la bouffe et de mes préoccupations corporelles ? Et puis je ne risque pas grand-chose, je n'ai plus rien : ni travail, ni amour. Finalement, je me décide et sors téléphoner. Demain, j'ai rendez-vous au local du futur journal.

Le lendemain matin, bien coiffée et maquillée, je pars à mon rendez-vous. J'ai le trac. Je ne me sens pas à la hauteur. Toujours le même sentiment d'incompétence, de dénégation. Je n'ai aucune confiance en moi. Et puis je sais que l'équipe est composée de professionnels, qui ex-journaliste à *L'Express,* qui ex-journaliste au *Nouvel Économiste.* Moi, je ne suis rien qu'une fille au chômage, qu'un boudin énorme qui a tout raté dans sa vie. L'angoisse me paralyse. Qu'est-ce que je vais faire là ? Qu'est-ce qui m'a pris d'écouter mon frère ? Je fais un détour à la pâtisserie, j'ai trop peur, j'ai envie de pleurer, de fuir. Ma honte de moi est telle qu'elle m'empêche de faire un pas de plus. Alors j'ingurgite croissant sur croissant jusqu'à l'apaisement. Mais quelque chose me pousse à aller au local où j'ai rendez-vous. Peut-être l'instinct, le sentiment que je trouverai là une échappatoire ou un moment de répit. Je ne veux pas me décevoir davantage.

Arrivée devant la porte, j'écoute, morte de peur, avant de frapper. Un homme ouvre en souriant et me tend la main :

« Bonjour, je suppose que tu es la sœur de Bernard.

— Oui, dis-je à voix basse.

— Entre, une réunion va commencer, je vais te présenter à l'équipe. »

Impressionnée, je serre des mains et entends des gens qui se présentent. Le son est brouillé, j'ai de la difficulté à comprendre, je paralyse. Je m'assois au bout de la table et écoute. Dans ce journal, pas de rédacteur en chef, pas de hiérarchie, tout le monde va mettre la main à la pâte pour l'écriture, le montage, etc. Une idée me traverse l'esprit : j'aimerais faire la rubrique arts et spectacles ! Je suis une passionnée de cinéma. Je passe mes fins de semaine enfermée dans les salles de cinéma d'art et d'essai. Quand J.-P. demande qui veut se charger de la critique cinématographique, je n'ose me proposer. J'ai peur du jugement des autres. À la place, je propose de m'occuper de la distribution du journal. Tout le monde est ravi. Je connais la région – le journal sera distribué dans neuf départements du sud-ouest de la France – et je possède une voiture. À cette époque fleurissaient de petits journaux gauchistes un peu partout dans les régions de France. Ils ont tous créé leur propre réseau de distribution, indépendant des Nouvelles Messageries de la presse parisienne (NMPP). Cela coûterait trop cher d'utiliser ce système. Pour acquérir un peu d'expérience, je pars une semaine en Bretagne, puis une semaine à Montpellier, au journal *Sud.*

De retour à Toulouse, je travaille d'arrache-pied pendant six mois à mettre en place un système de distribution. Pendant ce temps, j'oublie presque mon poids et mes crises de bouffe. Elles se font plus rares, une fois par semaine environ. J'aime ce projet, il me nourrit. J'aime l'équipe et de belles amitiés se développent. Je pars sur les routes au volant de ma vieille 2 CV présenter le journal aux dépositaires. Il s'appelle *L'Autan du Midi-Pyrénées,* l'autan étant un vent du sud.

En passant dans le département du Lot, je décide de m'arrêter chez mes parents à Figeac. J'ai hâte de leur parler du projet. Je n'ai pas été emballée à ce point depuis bien longtemps ! Je crois beaucoup à ce journal, et puis je me sens importante… J'ai une responsabilité, on me fait confiance à moi qui me sens si petite et si peu intelligente. Pour ne pas arriver à l'improviste, je leur téléphone. Comme cela fait des mois que je ne suis revenue à la maison, je suis craintive. Les mauvais souvenirs refont surface, ils continuent à me hanter et j'ai toujours peur de ne pouvoir repartir. Mais aujourd'hui, c'est différent. Je me sens forte et conquérante. Quand j'arrive, je me jette dans les bras de maman. Ils sont toujours aussi enveloppants, rassurants. La gorge nouée, je la regarde longuement. Ses yeux embués me disent tout son amour. Chaque fois, elle me bouleverse, chaque fois je retrouve la même envie de me fondre en elle et de rester là, des heures et des jours. Mais je me ressaisis en entendant mon père s'approcher. Il est égal à lui-même, gentil mais fermé. Je ne sais pas s'il est content ou pas. Un mur, un mystère.

Une fois à table, je leur raconte avec ferveur en quoi consiste le projet et le but de mon travail. Ils ne semblent pas emballés. Je crois que je les décourage… Ils souhaiteraient pour moi un « vrai » travail, une vie comme tout le monde. C'est toujours ainsi. Du plus loin que je me souvienne, pour eux, j'ai toujours été déraisonnable, tout ce que je vis est hors norme. Une fois de plus, ils me disent leur désapprobation. J'aurais tant aimé être encouragée, entendre des mots de félicitations, me faire dire enfin : « Bravo, Annick, fonce, tu es capable. » À la place, ce sont les éternelles mises en garde, les sempiternels reproches. Je ne suis jamais comme il faut. Ma confiance en moi s'effondre une fois de plus, je voudrais fuir, me boucher les oreilles pour ne plus entendre que je les déçois. J'ai hâte de terminer le repas et de repartir. Ce soir-là, non loin de mon village natal, ce sera ma première grosse orgie depuis bien longtemps…

Comme pour donner raison à mes parents, *L'Autan* ne soufflera pas longtemps. Au bout d'un an, épuisée et ruinée, l'équipe rend les armes. Financièrement, nous n'avons pas eu les reins assez solides. Désenchantés, nous nous disons adieu. Cela sonne pour moi la fin de la trêve, la fin d'un rêve. Pour la première fois dans ma vie, un travail avait réussi à atténuer un peu ma boulimie. Une fois de plus, l'enfer recommence. Je tourne à vide. Les orgies se succèdent. Rien ne me retient plus à Toulouse. Pourquoi ne pas quitter cette ville où j'accumule mauvais souvenirs sur expériences destructrices ? Le fait de changer d'air me ferait du bien. M'éloigner, mettre des kilomètres entre mes proches et moi. C'est décidé, je pars pour Montpellier. Peut-être le journal *Sud* aura-t-il besoin de moi… Je n'ai rien à perdre. Ici, c'est le néant.

Dans les semaines suivantes, je vends tout. Je ne garde que ma voiture et deux valises. J'essaie une fois de plus de couper le cordon ombilical. Cette tentative de rupture a été amorcée il y a dix ans.

•

Ma vie à Montpellier ne modifie pas ma façon de me nourrir. C'est une deuxième nature, la seule façon que je connais. Je ne sais plus ce que veut dire manger avec plaisir. Changer de ville m'a tout de même accordé un certain répit, car vivre ces périodes de prise de poids s'avère une véritable torture mentale : l'anonymat allège ma honte. Personne ici ne me connaît, personne ne m'a vue avant... Le regard des autres n'est plus inquisiteur. Pour les gens d'ici, je suis née grosse. Pas de pitié ni de compassion, encore moins de « tu devrais peut-être... ». En revanche, la souffrance, celle qui accompagne la honte, est bien là. Elle m'a suivie.

Je me suis installée dans une chambre meublée crasseuse. Vue imprenable sur un mur de ciment : je dois pencher la tête par la fenêtre pour apercevoir un carré de ciel bleu. Un lavabo avec eau froide seulement, une armoire et un tout petit lit au matelas puant et déformé. Les toilettes communes sont au troisième étage. Un seul avantage : le loyer n'est pas cher. Il n'y a malheureusement pas de travail pour moi au journal.

N'ayant rien à faire, je traîne mon corps et mon âme dans tous les recoins de la ville. J'ai seulement deux robes : une mauve indienne immense et une noire avec de petites fleurs. Mon tour de taille est de plus en plus important... Je camoufle mon ventre proéminent et ma graisse, j'ai honte de mon corps. Dire qu'il y a quelques mois je pesais trente kilos de moins... J'aimais voir les os de mon bassin et de mes épaules saillir sous la peau. Généralement, je ne les vois pas longtemps. Le temps que mon corps et mon esprit réclament de nouveau leur drogue, leur calmant.

Un jour, alors que je marche dans la rue avec une amie que je me suis faite au journal, trois jeunes garçons nous croisent. L'un d'eux me regarde droit dans les yeux en me disant :

« T'es contente, hein, d'être grosse ! »

Incapable de prononcer un seul mot, je me mets à pleurer. Mon amie se révolte. Elle ne comprend pas que je me laisse insulter ainsi. Quelqu'un de mince ne peut pas comprendre cette douleur et cette honte, personne ne le pourra jamais, même avec la meilleure volonté du monde... Moi, je veux juste rentrer sous terre, me cacher le plus loin possible. Je n'ai plus qu'une envie : revenir à ma chambre et manger, manger et dormir. Mais d'abord, visite au supermarché. Je suis dans un état second, entre l'angoisse profonde et l'excitation. Je suis consciente de l'anormalité de mon comportement, mais je ne lutte pas, je ne peux pas résister. M'empêcher de manger à ce moment-là serait dangereux, je pourrais agresser quiconque se mettrait en travers de mon chemin...

Les jours se suivent, interminables. Je perds totalement la maîtrise de ma vie. Au deuxième étage vit un étudiant fauché aimant tout particulièrement le haschich. En sa compagnie, je me gèle du matin au soir. Nos rares retrouvailles au lit sont misérables. Je ne vois plus ni mes jours ni mes nuits et je mange deux fois plus. N'ayant plus droit au chômage, je vends mes bijoux, notamment une magnifique bague qui appartenait à ma grand-mère, puis le peu de choses que je possède : radio, disques, etc.

Au bout de deux mois d'errance, je n'ai plus le choix. Je dois trouver un travail, je n'ai plus rien pour payer ma chambre. Fatiguée et blasée, je me sens très seule. J'ai quitté amis et famille pour essayer de me défaire de ma peau de boulimique, oscillant entre l'euphorie et la détresse, entre la performance et l'échec, ne vivant que pour me détruire. Dans mes moments de lucidité, je constate à quel point émotions et nourriture sont liées. Quelque chose cloche dans mes rapports affectifs. Je cherche l'amour et la reconnaissance des hommes. Je tente en vain de trouver la protection que m'offrait ma mère et, inconsciemment, je cherche mon père. Plutôt que d'affronter ma réalité, j'opte pour la fuite. Ce n'est pas moins douloureux mais, pour le moment, je suis incapable de m'avouer qu'une partie de mes problèmes est liée à ma famille. Je tiens encore à préserver son image, j'en ai besoin, et j'ai besoin de croire que tout est ma faute, que je suis entièrement responsable. J'aime trop mes parents...

La saison d'été arrive. C'est le moment de l'embauche dans les hôtels de la côte. Pourquoi ne pas essayer ? Je n'ai jamais travaillé dans la restauration, aussi je décide de chercher du boulot comme femme de chambre. Ça ne doit pas être si compliqué. Je pars au volant de ma vieille bagnole et m'arrête au Frantel, à la Grande-Motte, une station balnéaire non loin de Montpellier. Je suis embauchée et commence quinze jours plus tard. Soulagée, je peux quitter ma chambre meublée et m'installer dans les bâtiments réservés aux employés de l'hôtel. C'est ainsi que va commencer ma carrière dans l'hôtellerie. Pour le moment, c'est l'idéal. Je suis nourrie et logée, exactement ce dont j'ai besoin. La tranquillité pour quelques mois. Et puis pour me donner un semblant de bonheur, je fume un joint chaque matin avant de partir au travail. Il est 5 h 45 ! C'est très tôt, mais chaque femme de ménage est responsable des petits-déjeuners de son étage. Les clients mangent dans leur chambre. Tous les matins, de 6 heures à 8 heures, je vole de la nourriture dans les plateaux réservés aux clients des autres étages et je me gave. J'ingurgite aussi les restes. À chaque arrêt du monte-plats à la cuisine de mon étage, je fouille dans les plateaux qui retournent aux cuisines. Tout est bon à manger, que le client ait déjà mordu dans la nourriture ou pas. Rien ne rebute une boulimique. Après tout, j'ai bien souvent fouillé dans mes propres poubelles.

Mon poids rend le travail deux fois plus fatigant et exigeant. Traîner trente kilos de trop me donne mal au dos et aux jambes. Je suis handicapée. Mais pas question de me plaindre à qui que ce soit : j'ai encore un peu de fierté. Je passe mes journées à frotter et nettoyer des baignoires et des toilettes et à soulever des matelas. Je suis épuisée. À cause de la transpiration et de ma grosseur, l'intérieur de mes cuisses est irrité, j'ai du mal à marcher.

Ce matin est réservé au lavage des vitres. Debout sur un escabeau, je frotte énergiquement, soufflant et transpirant. Une voix interrompt mon travail. C'est le responsable du personnel qui vient d'entrer.

« Bonjour, Madame, comment allez-vous ?

— Bien, merci.

— Dans votre état, Madame, je pense que vous ne devriez pas faire ça ! »

Il me croit enceinte ! Je ne me vois même plus... J'ai fini par vivre avec ce corps. Il est à peine 9 heures et il fait déjà une chaleur torride. Plus tard, mes collègues se rendront à la plage, comme tous les jours. Moi, j'irai plutôt m'étendre sur mon lit, et je me gaverai de glaces. Je refuse d'exhiber ma graisse. Depuis longtemps, je ne me mets plus en maillot de bain. Je passe l'été à l'abri des regards et de la chaleur, engoncée dans de grandes robes. Et je souffre de mon enfermement et de mon anormalité.

Il y a un bon côté au travail saisonnier dans les hôtels : la gratuité de la nourriture. Chaque midi, tout le personnel se rend à la cuisine. Aujourd'hui, j'ai particulièrement faim. J'ai trop fumé ce matin. J'en ai encore les yeux injectés. Arrivée au comptoir, je sens deux grands yeux bleus posés sur moi. Levant la tête, j'aperçois tout d'abord un sourire franc et cordial, puis j'entends une voix qui s'adresse à moi gentiment :

« Que voulez-vous manger, du poisson ou des pâtes ? »

Je veux les deux, mais j'ai honte de le demander. Aussi je réponds d'un ton sec :

« Ce que vous voulez, mais j'ai très faim. »

Le cuisinier qui m'a abordée ne s'offusque pas de ma réponse et, toujours avec le sourire, me tend une assiette bien remplie. Je ne dis même pas merci et pars m'asseoir dans un coin. Les gens autour de moi doivent probablement se dire : « Pas étonnant qu'elle soit grosse. » C'est pour ça que j'aime manger seule. Tant pis pour eux : je veux du dessert, ce qu'il y a de plus gros. Je retourne vers la cuisine et demande un morceau de gâteau au cuisinier. C'est bizarre : il me tend l'assiette toujours avec le sourire, me lance « bon appétit » d'un ton chaleureux. Il ne me fait aucun commentaire désobligeant. Il doit pourtant voir que je suis grosse !

Le retour au travail est pénible : la fatigue est omniprésente, comme tous les jours où je mange trop. Me pencher dans les baignoires pour enlever la saleté des autres me demande des efforts surhumains. Je rêve d'aller me coucher. L'effet du joint de ce matin est terminé. Je retrouve ma réalité, toujours la même. Pour oublier, dès que mes chambres seront finies, je vais aller dormir jusqu'à l'heure du dîner, à 7 heures.

Ce soir-là et les jours suivants, le cuisinier aux grands yeux bleus est en cuisine, à me donner à manger. Il continue à me sourire.

« Je m'appelle Philippe, lance-t-il aujourd'hui. Quand tu auras besoin de quelque chose, ce sera plus facile de m'appeler par mon prénom. »

— Merci. Moi, c'est Annick. »

Je prends l'assiette qu'il me tend. Qu'a-t-il à me fixer ainsi ? C'est agaçant. Je suis mal à l'aise devant lui. Les yeux injectés, le corps alourdi, je n'ai vraiment rien pour plaire...

Le lendemain, je lui demande de me préparer un pique-nique. Je suis en congé et je veux absolument changer d'air. La routine du travail m'étouffe. En me donnant mon repas, il me demande timidement : « La prochaine fois, est-ce que tu accepterais quelqu'un avec toi ? » Je ne peux m'empêcher d'être cinglante et blessante : « Oh ! Si tu n'as rien d'autre à faire, tu peux toujours. Tu porteras le panier. » Le ton de ma voix est loin d'être invitant. Je ne veux rien savoir de lui, ni d'aucun autre homme, d'ailleurs. Je suis incapable d'aimer qui que ce soit. J'ai déjà assez de difficulté à vivre au jour le jour. J'ai envie de lui demander : « M'as-tu vraiment regardée comme il faut ? » Il y a plein de belles filles partout. Elles respirent la joie de vivre et l'insouciance. Je me sens comme un ver de terre, un gros ver vivant dans la noirceur et la boue, visqueuse et repoussante. J'éprouve une telle haine envers moi que je ne comprends pas que l'on puisse même me parler.

Depuis mon arrivée à La Grande-Motte, je partage ma chambre avec Martine, une superbe étudiante en droit qui travaille pour payer ses études. Le début de notre cohabitation a été difficile. À cause de moi et de mon agressivité. Je n'aime pas qu'on entre dans mon intimité, et puis, elle est belle et pas moi, elle est brillante et pas moi. Je ne peux m'empêcher de faire des comparaisons. Mais son charme commence à opérer. Sa patience a raison de moi. Elle est drôle et gourmande... Ensemble nous allons nous promener, bavarder et manger des glaces. Son rire est contagieux, sa bonne humeur, un rayon de soleil. À son contact, ma noirceur perd un peu d'opacité. Et je lui parle de mon passé, de mes difficultés, de mes tentatives…

Aujourd'hui, elle décide de me teindre les cheveux, convaincue que le roux m'irait bien. Elle me trouve jolie et veut me rendre belle. Elle fait tout ce qu'elle peut pour me faire retrouver un peu d'estime de moi. Nous voilà parties, bras dessus bras dessous, à la recherche d'un shampooing colorant. De retour dans notre chambre, elle s'attelle à ma transformation. Une heure plus tard, en me regardant dans le miroir, je me trouve jolie. C'est plus le regard de Martine qui m'a transformée que la nouvelle couleur de mes cheveux.

Le lendemain, quand j'arrive en cuisine, Philippe me fait des compliments. Je les accepte sans broncher. Puis il me demande si je suis intéressée à faire une partie de belote ce soir, avec ses amis. J'accepte, mais, dans l'après-midi, prise de remords et d'angoisse, je me vautre dans mon lit, mangeant et pleurant en même temps. Je décide que je n'irai pas, je suis trop moche. Je n'aurais jamais dû accepter. De toute façon, je suis convaincue qu'il m'a invitée uniquement parce qu'il manquait un joueur… Je m'achèterai plutôt à manger et profiterai de ma soirée seule dans ma chambre. Martine est partie pour deux jours.

De quoi ai-je peur? Pourquoi ai-je aussi peur? Je ne connais qu'une seule manière de faire taire ce sentiment: l'étouffer, le recouvrir de monceaux de nourriture, ne pas lui laisser la moindre chance de prendre possession de moi. Avec les aliments, je sais quoi faire. La marche à suivre est simple: il me suffit d'ouvrir la bouche, de me gaver comme on gave les oies. La gueule ouverte, je pousse, je pousse, jusqu'à ce que tout mon système digestif soit anéanti, englouti par la bouffe, jusqu'à ce que mon estomac me fasse souffrir. Je vais loin, très loin dans mon gavage. Quand la nausée me prend, quand le souffle me manque, j'arrête, au bord de l'étouffement. Quelques heures plus tard, je recommence. Interrompre le processus est impossible.

À 10 heures, on frappe à la porte.

« Annick, c'est Philippe. » Je ne bouge pas, vautrée dans mon lit, un vrai champ de bataille jonché de pots et de papier d'emballage de toutes sortes. Il ne faut surtout pas qu'il sache que je suis là. Il frappe et m'appelle de nouveau. Quelques secondes plus tard, je l'entends partir. Je peux recommencer à manger. Je n'arrêterai que lorsque je m'écroulerai de douleur et de fatigue… vers la fin de la nuit.

Le lendemain matin est difficile. Le service du petit-déjeuner est encore l'occasion pour moi de piquer brioches et croissants. Je ne m'arrête décidément pas longtemps. À l'heure du déjeuner, Philippe est là, l'air un peu triste.

« Pourquoi n'as-tu pas répondu hier soir, quand je suis venu te chercher ?

— Je n'étais pas là, j'ai été obligée de m'absenter.

— Ah bon », répond-il d'un air inquiet.

En me tendant mon assiette, il reprend :

« Eh bien, ce soir, je suis en congé, je t'invite au restaurant ! » Incapable de lui dire non, je reste plantée devant lui, paniquée et en même temps flattée. C'est la première fois qu'un homme vient me chercher. Je suis toujours allée aux devants d'eux, en manque affectif. « C'est d'accord » est ma seule réponse. J'entends comme dans un brouillard Philippe me préciser l'heure à laquelle il passera me prendre. Dans quel pétrin me suis-je mise ? Comment faire volte-face ?

À la fin de la journée, en revenant à ma chambre, j'aperçois la voiture de Martine. Je vais pouvoir lui demander conseil. Elle trouve Philippe très sympa et ne comprend pas ma retenue.

« Et si tu te laissais gâter un peu, me déclare-t-elle en me regardant bien droit dans les yeux. Tu ne trouves pas que ta vie est assez difficile comme ça ! Je le trouve très beau. As-tu vu ses yeux ! »

Elle finit par me convaincre. Puisque je ne peux pas changer mon corps, je décide d'arranger mon visage. Avec un peu de maquillage et des boucles d'oreilles, ce ne sera pas si mal. L'heure du rendez-vous approche, ma crainte grandit. Je m'interroge sur la raison de son invitation. Je n'arrive pas à comprendre, je ne peux pas croire que je lui plais. Il s'ennuie probablement. Puis j'entends ses pas, j'ai des battements de cœur, je voudrais être ailleurs. J'ouvre la porte sur son sourire et ses grands yeux. Peut-être que tout cela a un sens…

Assis face à face au restaurant, nous sommes gênés comme deux adolescents. Moi parce que cela fait longtemps que je ne me suis pas trouvée dans cette situation, lui probablement à cause de moi. Je suis distante, mal à l'aise et complexée. Je suis malgré tout troublée par son regard. Je n'y vois que douceur et bonté. C'est irréel, totalement irréel. Je m'attends toujours à du dégoût de la part des autres, ou du moins à du rejet et de l'incompréhension. Je ne vois rien de tout cela dans ses yeux, tout simplement du respect. Il perçoit ma gêne et mon insécurité. Je sais qu'il sait, je sais qu'il s'est rendu compte que quelque chose ne tournait pas rond chez moi. À la quantité de nourriture que j'ingurgite à chaque repas, il doit bien se douter de quelque chose… Pas un mot à ce sujet. Nous parlons de nous, de nos vies, en restant à la surface, juste pour nous connaître un peu. Cuisinier depuis l'âge de quinze ans, il aime ce métier avec passion, il en parle avec amour et désir d'avancer. Il a de beaux projets en tête. Tout a l'air simple pour cet homme. Sa solidité et sa franchise me font du bien. Qu'il est loin de mes tourments et de mes démons ! Je l'observe pendant qu'il me raconte le chemin qui l'a mené ici. C'est vrai qu'il est beau. Et timide aussi. À l'opposé de moi, pensai-je. Les pensées négatives continuent d'affluer : « Et puis, ça ne marchera jamais entre nous. Je n'ai jamais été à la hauteur. J'ai toujours tout raté. » Je préfère la fuite, toujours la fuite. De quelque manière que ce soit, je m'arrange toujours pour éviter de questionner mon passé. Au cas où je pourrais y trouver quelque chose de compromettant, au cas où je me serais trompée.

Pendant le repas, je mange avec appétit, normalement, comme lui. Plus la soirée avance, plus je me sens bien, comme à l'abri, loin de mes tempêtes intérieures. L'atmosphère est chaleureuse, mes yeux n'ont plus peur de croiser les siens. Plein de candeur, Philippe est en train de m'apprivoiser. Sur le chemin du retour, nous marchons calmement. L'air doux et parfumé de ce soir d'été nous enveloppe. La sérénité de Philippe est communicative. Il pose ses yeux sur moi et saisit ma main doucement. Il me sourit. Plus aucun geste, plus aucune parole jusqu'à ma chambre. Puis, lorsque nous sommes devant ma porte, il pose un doux baiser sur mes lèvres en signe d'au revoir.

Je n'arrive pas à dormir, je suis bouleversée par cette soirée. Cet homme m'apaise. J'aime sa retenue et sa gêne. Me faire interroger sur mon passé et sur mes comportements m'aurait effarouchée. Son silence est comme un accord tacite entre nous. Je lui parlerai de tout ça quand je serai prête... J'aborde difficilement ce sujet. La honte, toujours la honte omniprésente. Je suis une pestiférée.

Les jours suivants se passent en douceur. Philippe est de plus en plus présent. J'essaie de comprendre pourquoi j'attire cet homme. Il continue de me faire la cour, toujours aveugle. Je me dis que tout cela va s'arrêter, qu'il finira bien par se rendre compte de quoi j'ai l'air. Mais non ! Et tout doucement, je me laisse emporter dans cette relation naissante. Ponctuées de balades en voiture dans l'arrière-pays et de dîners au restaurant, nos journées de congé passent vite.

En rentrant ce soir, le baiser d'adieu est différent. Nos corps se cherchent. J'ai peur, il le sait. Nous entrons doucement dans sa chambre. Il laisse la lumière éteinte. Je voudrais mourir, vraiment. Quand il pose ses mains sur moi, j'ai envie de vomir, à cause de moi, de mon corps. Ma graisse est réelle, elle bouge sous ses doigts. J'ai envie de crier, de pleurer, de fuir. Et je reste là, paralysée. Ce soir-là, Philippe m'a aimée comme si j'étais une femme « normale ». Il n'a pas fui, il n'a pas eu la nausée. Je suis, malgré moi, désirable...

Pendant la nuit, je me réveille souvent. Je ne sais pas dormir à deux. J'en profite pour le regarder. Il sourit même en dormant. Malgré mon bien-être, je prends conscience de ce qui m'arrive. Philippe est bien loin de ma vie, de mes angoisses. Ai-je le droit de l'embarquer dans ma galère ? Mais il me fait tellement de bien, au nom de quoi devrais-je le repousser ? Je ne suis pas malhonnête, je veux tout simplement vivre comme les autres. Je ne sais pas si je suis amoureuse, Philippe est ma bouée, une bouée qui m'emporte sur des flots inconnus. Après tout, il est venu me chercher, pourquoi refuser cet amour ? Toutes ces interrogations affluent les unes après les autres, tout tourne dans ma tête et je n'ai pas les réponses. Je ne décide rien, je n'agis pas. Une fois de plus, je réagis, comme par instinct de survie. Je sais, du plus profond de mon corps, que je dois partir avec lui, qu'il n'y a que lui qui puisse m'aider. Il est le seul à pouvoir m'aimer. S'il m'aime, peut-être arriverai-je à ne plus me détruire ?

Je me lève tout doucement et m'habille avant qu'il se réveille. Ma nudité m'appartient, je ne veux pas qu'il me voie en pleine lumière. Je quitte la chambre sur la pointe des pieds. Le jour se lève à peine. Pour la première fois depuis des mois, je n'ai pas envie de manger…

Les jours suivants, nos conversations se font plus intimes. Je découvre un homme d'une bonté et d'une tolérance absolues. Sa grandeur d'âme m'adoucit et me donne envie de l'aimer. Je me noie dans ses yeux, mais je ne sais pas l'aimer. Quand je parle de mon passé, j'ai souvent dans la bouche des mots de reproche, de rancœur et de haine. En quittant Toulouse, je voulais fuir et éloigner mes démons. Ils m'ont suivie. Et je déverse ma rage inhumaine, semblable à du venin. Dans ces moments-là, Philippe m'écoute, sans me juger d'aucune manière. Il constate simplement mon désespoir et mon désarroi. Il est là, convaincu de pouvoir m'aider, et je finis par le croire moi aussi. Il est toujours présent et prêt à m'entendre, il n'a pas peur de moi…

La fin de la saison arrive. Je n'ai plus de logement ni de travail. Philippe et moi décidons de faire un bout de chemin ensemble. Je me dis que c'est la meilleure façon de m'en sortir. Philippe a déjà travaillé à Berlin-Ouest – nous sommes en 1978, la ville est encore coupée en deux par le mur de la honte. Il me demande de l'y suivre… Je n'hésite pas une seconde. Je veux fuir mon passé, à tout jamais. Je ne parle pas un mot d'allemand, je n'ai aucune idée de ce qui m'attend, mais je décide de partir. Sinon, c'est le néant.

Le grand départ approche. Dans une semaine, nous quittons la France. Il est temps que je rende visite à mes parents. Je n'ai pas mis les pieds à la maison depuis deux ans. Je leur ai parlé au téléphone lorsque j'ai emménagé à Montpellier, mais depuis, aucune lettre, aucune visite, rien qui ressemble à une quelconque relation. Au fond de moi bouillonne une révolte. Je commence instinctivement à sentir qu'ils ne sont pas totalement étrangers à mon problème. Pas qu'ils en soient responsables, mais plutôt qu'ils en font partie. En m'éloignant d'eux, je devrais éliminer une partie de mon déséquilibre.

À mon arrivée, ils me dévisagent. Il est vrai que j'ai beaucoup grossi. Un passé trop proche nous empêche d'être à l'aise. Je lis encore de la peur et de l'incompréhension dans leurs yeux, et ma souffrance est toujours réelle et bien présente. Le contact s'établit difficilement, nous sommes tous entourés d'une solide barrière de protection. Nous voulons éviter de retomber dans l'outrance et le drame. D'une voix assurée, je leur annonce mon départ pour Berlin avec Philippe, qu'ils ne connaissent pas. Pas un mot, pas un reproche n'est prononcé. Mais leur inquiétude de voir leur fille partir est palpable. Mon père ne peut s'empêcher de me poser la question :

« Mais que vas-tu faire là-bas ? Tu ne parles pas allemand.

— Femme de ménage, comme à Montpellier. »

Je sais que ça le dérange. Ce n'est pas vraiment la profession dont il avait rêvé pour sa fille. J'aime que ça l'agace, je veux être différente de lui, je veux une autre vie. Alors, pour le provoquer, je lui montre mon passeport. À « Profession » est inscrit : femme de ménage. Pour eux, c'est la honte. Je les défie pour mieux m'en détacher, comme toujours, mais sans résultat. Je suis là, assise en face d'eux, et j'ai cinq ans. Si je pouvais, je leur dirais que je ne veux qu'une chose : rester près d'eux, que je n'ai pas grandi, que je ne sais comment m'y prendre. Je leur parlerais de ma peur de la solitude, de ma peur de la mort et du vide qui occupe tout mon être. Je ne sais pas comment le combler, ni comment m'apaiser. Mais j'ai juste envie de les agresser et de leur dire combien leur vie m'étouffe, combien leur sens du devoir et leur besoin de réussite m'emmerdent. Je suis tiraillée entre la haine et l'amour. Depuis toujours. Mais depuis toujours je voudrais les entendre me dire qu'ils m'aiment…

Je les quitte en leur promettant de donner de mes nouvelles et en les rassurant: «Philippe est un homme adorable, ne vous inquiétez pas.» À peine le pas de la porte franchi, je n'ai qu'une obsession: manger, à n'importe quel prix. Je m'arrête à l'épicerie et je fais provision de madeleines, de chocolat et de bonbons en quantité industrielle. Je n'achète que des aliments faciles à manger, car je vais conduire en même temps. Avant de démarrer, j'ouvre tous les paquets, y compris les plaques de chocolat, et j'étale la nourriture sur le siège à côté. Je n'aurai qu'à tendre la main pour étouffer ma souffrance, la douleur de la séparation. Puis je pars vers Montpellier, sans savoir qui je suis, où je vais vraiment, ni ce que je fais. Cela m'arrive souvent de vivre dans une autre peau, d'être totalement une autre. Aujourd'hui, ce sentiment d'étrangeté est très fort. Plus ma main se porte à ma bouche, plus l'angoisse diminue. Quand je ne pourrai plus avaler, la tristesse et le désespoir prendront la place laissée par la peur qui s'en est allée, emportée avec le chocolat et les bonbons, noyée dans cette surabondance de calories. Les larmes sont alors le constat d'un immense échec, la preuve que je me trompe, que le chemin de la boulimie est sans issue. En arrivant à Montpellier, il va bien falloir que je raconte à Philippe ce qui s'est passé. Il a le droit de savoir qui je suis.

Je suis heureuse de le retrouver. Est-ce un signe d'attachement? Je préfère ne pas analyser. Ce soir-là, je me sens particulièrement aimante. Mon corps est plus léger, je m'offre à Philippe sans pudeur, pleine d'amour et de plaisir à donner. Puis je me love contre lui, comme un enfant sur le corps de sa mère. Après un long silence, je me décide à parler:

«Philippe?

— Oui, qu'y a-t-il?

— J'ai besoin de te parler, de te dire qui je suis vraiment. Ensuite tu décideras si tu veux toujours partir avec moi.

— Quoi que tu dises, quoi que tu aies fait, je t'aime, Annick.»

J'ai peur de le faire fuir, mais je ne peux m'empêcher de continuer.

« Je sais que tu trouves curieux mon acharnement contre mes parents. Ma révolte, mon besoin de démolir leur image. Je ne comprends pas tout, mais je sais une chose : j'ai souffert beaucoup. »

La tête posée sur le ventre de Philippe, sa main jouant dans mes cheveux, je commence un long retour sur ma vie, sans vraiment tout expliquer. Parfois je m'interromps, parfois j'ai des trous de mémoire...

Secouée de sanglots, je m'accroche désespérément à lui. Je veux croire que cet homme va me sauver. Malgré mon récit, il est toujours là. Il me berce calmement et me couvre le visage de baisers. Ma souffrance ne l'effraie pas. « N'aie pas peur, Annick, je suis là » sont ses dernières paroles, avant que nos corps se scellent pour la fin de la nuit.

La journée promet d'être chaude. En congé tous les deux, nous décidons de profiter de l'arrière-pays et nous partons pique-niquer. Philippe conduit, l'air heureux. Je le regarde du coin de l'œil, il s'en rend compte et me sourit en me disant :

« Tu sais, Annick, je n'ai pas changé d'avis. Et toi ?

— Moi non plus », dis-je d'une voix ferme.

Pourtant, je ne sais toujours pas si je l'aime vraiment. De toute façon, je ne sais pas très bien ce qu'est aimer. Pour le moment, il m'a sortie d'une ornière, peut-être m'évitera-t-il d'y retomber. Je m'accroche à lui comme à une bouée. Jamais cet homme ne me fera de mal, je le sens, mais j'ai peur pour lui. Il ne se doute pas du mal que moi je peux faire... Avec lui, je vais quitter mon pays pour ne plus y revenir.

•

Le voyage en 2 CV est long et les formalités n'en finissent pas. La route qui mène à Berlin-Ouest traverse l'Allemagne de l'Est – il n'en existe qu'une seule, avec interdiction absolue d'en sortir. À la frontière, les douaniers ne sont pas des plus coopératifs. Ils nous font vider la voiture en entier, confisquent nos journaux, puis passent un miroir sous le châssis. Finalement, ils demandent à Philippe de les suivre : il aura droit à une fouille en règle, tout nu au milieu d'une pièce. Il est vrai qu'il a les cheveux longs, signe évident de danger. À Berlin, l'accueil n'est pas meilleur : deux chars sont pointés vers l'Allemagne de l'Est. C'est ce qu'on appelle la guerre froide et, réellement, ça refroidit !

Au début de notre séjour, des amis de Philippe nous hébergent, le temps que nous obtenions un permis de travail et de séjour. Sans ces papiers, nous ne pouvons signer un bail. En attendant, nous fêtons notre nouvelle vie en Allemagne.

Je découvre Berlin-Ouest avec étonnement. Cette ville vit vingt-quatre heures sur vingt-quatre, c'est la ville de tous les extrêmes, elle me ressemble. Sa population est bigarrée : s'y côtoient les punks, les gauchistes et les ultra-nationalistes. La ville est divisée en secteurs : secteur anglais, secteur américain, secteur français. Nous n'avons pas le droit de vivre où bon nous semble. Après de multiples recherches, nous finissons par dénicher un appartement non loin du quartier turc : Kreusberg. J'aime cet endroit avec ses bars d'étudiants et ses nombreuses salles de spectacles.

Malgré l'amour de Philippe, mes trois premières semaines à Berlin sont un véritable enfer. Complètement désarçonnée par cette nouvelle vie, je refuse de sortir. Les angoisses prennent le dessus et la bouffe aussi. Pour la première fois, je m'empiffre devant Philippe. Rien ne le déstabilise. Son amour, pense-t-il, est plus fort que ma haine de moi. Manger devant lui est ma manière de lui dire mon désespoir. Je n'ai pas appris à parler, à dire mon manque ou mon besoin éperdu d'amour.

Puis je décide de sortir de ma carapace et de recommencer ma carrière de femme de chambre : je suis embauchée dans un grand hôtel de Berlin, celui où travaille un ami de Philippe. Je n'ai pas vraiment eu le choix du poste, vu l'obstacle de la langue. Tes femmes de ménage étant Turques, je ne ferai pas l'apprentissage de l'allemand au travail ! Les journées sont identiques les unes aux autres. Après mes huit heures à nettoyer des chambres, je rentre à l'appartement pour manger.

Je m'isole de plus en plus, le sentiment que j'éprouve pour Philippe s'effiloche, je deviens agressive et lui reproche de m'avoir emmenée ici. Comme il travaille beaucoup et souvent le soir, je recommence à traîner mon mal de vivre dans les bars de Berlin. Je sors souvent seule.

Cette nuit, après un spectacle de reggae de Burning Spear, je m'installe au bar de la salle de spectacle. Je vais boire beaucoup. Le dieu grec qui me tient compagnie aussi. Je n'ai aucun remords, je suis prête à tout pour ne pas être seule. La nuit va se terminer à 7 heures du matin, sans que je parvienne à exorciser mon mal de vivre. À mon retour, Philippe ne dit pas un mot, il souffre en silence. Son amour n'est plus suffisant, celui des inconnus non plus. Il ne peut pas m'aider, malgré ses efforts, malgré sa tolérance, malgré son immense amour pour moi. Les crises de bouffe se multiplient et, avec elles, l'agressivité augmente. Et un soir, j'explose. Ce ne sont plus seulement des mots qui s'abattent sur Philippe, mais aussi mes poings. Je l'agresse à un point tel qu'il a peur. Je veux l'estropier, je veux le castrer. Je suis une bête enragée qui a mal et qui attaque. Philippe s'enfuit, il disparaîtra pendant trois jours… Il est parti se mettre à l'abri de mes démons. Pendant ces trois interminables jours, rongée par le remords, je m'empiffre et je bois. Je traîne dans les bars, comme une épave. Je ne mérite pas son amour ni l'amour de quiconque. Je suis folle… Je perds une fois de plus mon travail.

Philippe revient meurtri, sa tristesse me transperce. Je l'avais pourtant prévenu… Nous tombons dans les bras l'un de l'autre. C'est à moi de demander pardon, c'est moi qui bats, blesse et démolis quand j'ai trop mal, quand la bouffe ne suffit plus pour étouffer ces émotions trop fortes. Je m'en veux tellement. De manger, d'être grosse et surtout d'être incapable de m'arrêter. Je voudrais tant qu'il m'aide, je voudrais tant qu'il me prenne en charge, inconditionnellement, comme maman…

Quelques jours plus tard se lève une éclaircie. Pour m'aider à trouver un meilleur travail, Philippe me paye des cours intensifs d'allemand au Goethe Institut. Cinq heures par jour, cinq jours par semaine, je suis à l'école. Pendant trois mois, je vis comme une étudiante et rencontre des jeunes de tous les pays, entre autres une Québécoise de Saint-Marc-sur-Richelieu.

Ravie de parler allemand, je recommence à chercher du boulot, mais cette fois, je veux devenir serveuse. Comme il est hors de question de m'exhiber avec mes rondeurs, je me remets au régime. Le soir, Philippe me donne des cours de service de table. Il est convaincu que je serai une bonne serveuse. En plus, je gagnerai mieux ma vie.

En attendant, nous prenons la gérance d'une cuisine. Nous travaillons douze heures par jour tous les deux dans quatre mètres carrés. Un seul jour de congé nous permet de dormir et de récupérer. Lui travaille au fourneau, moi au froid, aux desserts et à la plonge. C'est l'été, la chaleur est torride. La sueur dégouline sur mon corps du matin au soir. Placée en plein cœur de ma drogue, je craque. Je m'empiffre, je dévore… Incapable de m'endurer, je prends en grippe les gens qui m'entourent. Philippe a la première place, il récolte les honneurs de ma hargne. Et toujours au fond de ma tête trotte cette question : comment vais-je m'en sortir ?

Je me pose cette question dans mes moments de lucidité, quand j'arrive à me voir telle que je suis, quand ma drogue ne m'anesthésie pas. Mon désespoir vient de loin. Je suis impuissante parce que je n'en connais pas la cause. Alors je camoufle les effets, je recouvre momentanément mes plaies, que ce soit par de l'amour, par de la bouffe ou par la fuite. Mais immanquablement le pus refait surface, il pousse derrière la croûte, il me contamine… Je prie le ciel de me débarrasser de mes souffrances. Je pousse souvent la porte des églises pour m'asseoir sur le dernier banc. Et je pleure, assise seule dans le silence. Ces larmes me soulagent et je demande de l'aide. « Débarrassez-moi de la violence, débarrassez-moi de ma boulimie, je veux vivre, s'il vous plaît. Ce que je vis n'est pas humain. Coupez-moi plutôt un bras ou une jambe. Je suis certaine que ça ferait moins mal. » Ma prière est toujours la même.

Mon expérience en cuisine ne dure que six mois. Nous décidons d'un commun accord de laisser tomber le restaurant. Suit alors une période de calme et de répit pour nous deux. Philippe retrouve du travail et moi, je me remets au régime. Rien n'est réglé, mais la vie est momentanément plus légère, comme mon corps. Un semblant de bonheur teinte mes jours : finie l'agressivité, finie la violence, et mon estime de moi augmente au fur et à mesure que mes kilos disparaissent. Deux mois plus tard, me voilà prête à devenir serveuse.

Au mois d'août 1980, Philippe et moi décidons de partir en vacances au Québec et aux États-Unis, le rêve de tout Européen. C'est un beau moment, tout semble nous réussir. Nous avons le coup de foudre pour le mont Saint-Hilaire et la rivière Richelieu, et nous décidons d'émigrer. Berlin, c'est assez. En tant que cuisinier français, Philippe n'a aucun mal à obtenir un contrat de travail. Pour moi, c'est plus difficile. Il n'y a qu'une solution : le mariage. Sans prévenir personne, nous nous marions au Consulat français de Berlin. Entre la décision de partir et son exécution s'écoulera un an. Un an de préparatifs, un an d'excitation, un an de répit où je croirai en moi, où tout me semblera possible...

La femme de Jean

Le 4 septembre 1981, à 4 heures du matin, les lueurs des écrans de télévision percent la nuit noire. Nous sommes sur le chemin qui nous conduit de l'aéroport à notre logement, en face du manoir Rouville-Campbell. J'ai peine à y croire : je m'installe au Québec avec un visa d'immigrant reçu. Finie la France, le passé est loin derrière moi. Pour l'instant, j'oublie que comme la tortue j'ai transporté ma maison sur mon dos...

Rien ne provoque plus l'euphorie qu'un nouveau départ. Je travaille comme serveuse dans un café très sympathique, à Belœil. L'adaptation se fait assez bien, je suis en plein contrôle alimentaire. Pendant les quatre mois passés à Paris à attendre nos visas d'immigrants, j'ai suivi un régime basses calories, un régime de famine. Je pèse tout et surtout je supprime ce qui est synonyme de plaisir. La règle est simple : des légumes à l'eau, des viandes grillées, deux biscottes par jour. Manger devient trois fois par jour l'activité la plus déprimante et la plus frustrante qui soit. Je lorgne dans l'assiette de Philippe, je bave presque d'envie. Mais je tiens bon, c'est le prix à payer pour être belle et heureuse. Ne faut-il pas souffrir pour l'être ?

Grâce à mon travail, je tisse des liens avec des clients, des amitiés s'ébauchent. J'aime immédiatement ce pays, instinctivement. Mais une déprime sournoise perce régulièrement chez moi. Ma bonne humeur s'atténue, un sentiment fait d'inutilité et d'échec reprend sa place. Je ne vais pas bien, je ne m'aime pas et je ne sais toujours pas pourquoi. Alors je recommence à rêver à la nourriture. L'inévitable arrive, ma vraie nature explose : je dévore en une journée ce que je consomme en une semaine. Mais cette fois, les orgies ne dureront pas plus d'un mois. Elles seront suffisamment importantes pour que mon poids grimpe de dix kilos. Heureusement, je viens de découvrir un nouveau régime fabuleux : Scarsdale. Je vais enfin pouvoir perdre définitivement le poids que j'ai en trop. Pendant quinze jours, je dois respecter à la lettre ses menus. Ça marche ! Il est recommandé d'arrêter après deux semaines, mais comme je maigris à vue d'œil, je continue. Je ne suis jamais assez mince. Pendant deux mois, j'avale religieusement un demi-pamplemousse et un toast sans beurre le matin au petit-déjeuner, à midi – c'est un exemple – un steak et des haricots verts et, si ma mémoire est bonne, la même chose le soir (comme j'ai jeté tous mes livres de régime, il m'est difficile de vérifier l'exactitude, mais c'est à peu près ça). Pour la première fois depuis mon adolescence, je pèse cinquante kilos.

L'hiver est arrivé. Voyant tomber la neige pour la première fois, comme une enfant je me précipite hors du restaurant pour lever mon visage vers le ciel et avaler les flocons. Je suis heureuse : il neige. J'ai hâte de connaître les grands froids et le bout du nez gelé ! Mais ce soir-là entre un homme qui est une copie conforme de mon père : même prénom, même profession, même signe du zodiaque, même perfection physique.

Jean est le comptable du restaurant. On me le présente, ses grands yeux bleus me fixent. Je soutiens son regard. Il est déjà trop tard pour faire marche arrière. Je suis éblouie par la prestance et l'allure de cet homme. Il a l'air tellement parfait ! Ce soir-là, je me sens séduisante. J'ai bien fait de maigrir… J'oublie tout, mon passé, mon présent, ma vie avec Philippe. Ma tête et mon cœur sont déjà ailleurs. Je viens de rencontrer l'homme de ma vie, celui qui va me protéger, assurer ma sécurité, enfin m'équilibrer… Une fois de plus, je crois avoir trouvé la solution à tous mes problèmes : un homme. Je vais devenir la femme de Jean.

J'apprends qu'il vient de se séparer, qu'il vit seul et qu'il n'a pas d'enfants. Je vais aller le chercher. Philippe n'a pas réussi à m'empêcher de manger. Je me dis qu'avec Jean, ce sera différent... Pour guérir, je suis prête à blesser l'homme qui m'aime. Je n'ai aucun respect, aucun égard pour Philippe. Il n'existe plus. J'ai tôt fait de le rayer, convaincue que ma rédemption est ailleurs. Je suis en train de faire la plus grosse bêtise de ma vie. Il faut croire que je n'avais pas encore atteint le fond, je ne savais pas encore où me conduirait la perte d'identité... J'allais devenir, à la façon de ma mère, « la femme de Jean ».

●

Le réveillon du Nouvel An, Jean vient le fêter au restaurant. Assis au bout du bar, il plaisante et parle à tout le monde. À minuit, au moment de se souhaiter la bonne année, je me dirige vers lui. Il me regarde, nos yeux ne se lâchent pas... Lui aussi a envie de moi. Je sais qu'à la fin de la soirée je partirai avec lui. Je connais bien ce sentiment impulsif qui me fait foncer tête baissée, sans réfléchir. De fait, je passe la nuit avec cet homme, et je suis convaincue que je ne pourrai plus vivre sans lui. Notre relation commence de façon brutale et directe, les liens qui se tisseront entre nous seront identiques à ceux que j'entretenais, adolescente, avec mes parents...

Le lendemain, c'est le retour à la réalité. Je reviens à l'appartement, Philippe ne dit rien. Il me connaît, il sait que je suis déjà ailleurs, dans un univers que je pense idéal. Il perçoit ma détermination. Mes fuites en avant, mes tentatives pour trouver enfin l'équilibre ; il les a toutes vécues et acceptées. Philippe est sensible et même s'il ne parle pas, il comprend tous les mécanismes qui règlent mes comportements. Je n'agis pas, je réagis. Et quiconque m'en empêche reçoit des coups. Alors il se tait et espère que peut-être ma relation avec Jean n'ira pas très loin. L'euphorie de ces débuts de passion amoureuse me plonge dans un état second. Tous mes questionnements, toutes mes souffrances s'évanouissent. De façon très enfantine, je remets ma vie entre les mains de mon nouveau protecteur.

Pendant quelque temps, je reste près de Philippe. De le voir souffrir me déchire, mais je n'y peux rien. Je ne suis pas responsable de mon bonheur, comment pourrais-je l'être du sien ? Je le repousse du revers de la main, je l'éloigne de moi, lui qui a toujours été présent dans mes moments les plus noirs et les plus désespérés. Comment puis-je être aussi insensible ? Il n'y a qu'une explication : je veux sauver ma peau, et mon sauveur s'appelle Jean. Je ne veux pas grandir.

Chaque fin de semaine, je le rejoins chez lui, près de Montréal. Je lui cache ma boulimie. Comment pourrait-il s'en rendre compte, puisque je ne vis pas avec lui ? Pas de régime les fins de semaine, j'affiche un appétit sans égal, un optimisme à toute épreuve. Je suis une femme équilibrée, bien dans sa peau et, ma foi, digne d'être aimée ! Comme d'habitude, les premiers jours sont sans nuages, idylliques et « normaux ».

Aujourd'hui, nous partons pour deux jours à l'île d'Orléans. J'ai acheté un pantalon une taille au-dessous… Un vrai bonheur. Pour être belle et plaire à Jean, j'ai passé la semaine au régime et, dans mes temps libres, j'allais à la piscine. Dans ces moments-là, maigrir devient une véritable obsession. Pas une seconde sans penser à la nourriture. Pour chasser ce sentiment de famine et les crampes d'estomac, je buvais beaucoup de café et d'eau, et je fumais sans arrêt. Ainsi, je vais pouvoir manger normalement en sa compagnie. Il ne se rendra compte de rien. Quant à moi, dès lundi matin, j'effacerai les traces de ces deux jours en me remettant au régime.

Tout à coup, il me semble que c'est ce que je fais depuis toujours. Mon corps est détraqué par les régimes, car après deux ou trois jours d'une alimentation « normale », je reprends des kilos. Le programme pour faire disparaître ce surplus de poids est toujours le même : régime Scarsdale et piscine. Après quatre-vingts longueurs – je réussis même à transpirer dans l'eau ! – et un sauna, je frise la crise d'apoplexie. Le cœur tient bon, je ne sais pas comment. De retour à la maison, je m'écrase dans mon lit pour ne me relever que deux heures plus tard. Tout cela dans le but de plaire à Jean, pour qu'il me désire.

Après le week-end, Jean me dépose devant ma porte. Je n'aime pas les séparations, même pour quelques jours. En plus, contrairement à lui, je reviens découragée, à l'étroit dans mon pantalon neuf. J'ai repris deux kilos. Tant d'efforts sont anéantis, des jours et des jours de punition, des jours et des jours de jeûne pour enfin rentrer dans la taille tant convoitée, la plus petite possible, et elle n'est jamais assez petite. Bien évidemment, je ne dis rien de mon désarroi, je le quitte avec le sourire : il ne comprendrait pas, même si je lui parlais de mon passé, de mes pulsions incontrôlables, de mes compulsions.

En dépit de mes craintes de prendre du poids, je traverse ces premiers mois sur un nuage. Je me rends bien compte que j'engloutis les fins de semaine mais, au fond, bien des femmes font la même chose et, finalement, me mettre au régime le lundi matin est ma deuxième nature. Je n'ai plus de grosses crises de boulimie, je contrôle à peu près mon poids, Jean m'aime, et je ne me pose plus de questions. À un point tel que lorsqu'il me dit qu'il suit une thérapie, cela m'inquiète. A-t-il des problèmes ? S'il consulte une psychologue – elle s'appelle Annette –, c'est que quelque chose ne tourne pas rond. Chaque vendredi, au restaurant, il me raconte son expérience, m'explique le motif de sa démarche. Et au fond de moi – est-ce mon origine européenne qui dicte cette réaction ? –, je me dis que je n'en ai heureusement pas besoin ! Je suis convaincue d'avoir enfin trouvé la paix, juste au prix de quelques privations, et grâce à l'amour d'un homme…

Au bout de quelques mois, je quitte Philippe définitivement et emménage dans un petit appartement où Jean vient me rejoindre les fins de semaine. Philippe réagit très mal. Il passe ses nuits dehors et tente de m'oublier dans des vapeurs d'alcool. Ses amis m'en parlent mais j'ai tourné la page… Je n'arrive pas à me comporter autrement. Je renie mon passé, tout mon passé, certaine de retrouver enfin mon équilibre.

Jean me présente à ses amis, je m'intègre dans sa vie et dans sa famille. Petit à petit, je plante mes racines dans le sol québécois. Les souvenirs d'enfance de Jean deviennent les miens, je participe aux fêtes familiales, je deviens « la femme de Jean ». Il a tout pour me rendre heureuse : il est beau, il « a réussi », donc je vais être belle, je vais « réussir ». Nous décidons de vivre ensemble. Il vend sa maison et vient s'installer chez moi. Fin du premier acte.

•

Branle-bas dans l'appartement. Jean arrive aujourd'hui avec ses valises, une partie de ses meubles et son piano. Excitée à l'idée de ce nouveau départ, je lui ai fait de la place dans les tiroirs et dans les placards. Quant à mon âme, je la lui ai déjà vendue, il ne le sait pas encore. Les premières semaines sont idéales : j'endosse très rapidement le rôle de ménagère et de cuisinière. Ce qui fait par ailleurs tout à fait l'affaire de Jean. Chacun de nous a une image du couple parfaitement traditionnelle. Je remplis le congélateur de nourriture, je fais le pain, le yaourt, les biscuits : comme ma mère... Lui joue le rôle de mon père. Jean est chef de famille. À ses côtés, je me sens toute petite, incompétente, bien peu de chose. Et je me mets à son service. Mais par-dessus tout, il est parfait. Physiquement superbe, il contrôle sa vie sur tous les plans. Tous ses faits et gestes sont mesurés, calculés. Pas de folie, pas d'excès, pas d'erreur. Je suis de plus en plus mal à ses côtés. Je ne sais pas encore à quel point le passé joue un rôle dans cet appartement, je ne me rends pas compte que j'ai choisi cet homme parce qu'il est exactement comme mon père : un modèle de contrôle et de perfection. Insidieusement, les vieux fantômes réapparaissent.

J'aime de moins en moins mon travail de serveuse, et Jean encore moins. Je sens sa désapprobation et sa gêne quand il me présente, notamment à ses collègues de travail. L'image, toujours l'image sociale ou professionnelle... Et je ne suis pas à la hauteur des attentes des autres ni des miennes. Je mérite bien mieux que ça, on me le dit depuis tellement longtemps ! Décidément, le poids des préjugés et de l'éducation pèse encore lourdement sur mes épaules, des années plus tard. Je redeviens la fille de mon père, je n'ai pas changé. Mon insatisfaction grandit, elle est renforcée par les commentaires de Jean: «Tu devrais faire autre chose. Pourquoi ne fais-tu pas des études?» De jour en jour, mon estime de moi pâlit, tandis que la boulimie, elle, attend patiemment son heure.

Je me décide enfin à changer de vie. Sur les conseils de Jean, je m'inscris dans une école de secrétariat. Rien de très passionnant, mais il y a, paraît-il, du travail dans le domaine. J'essaie de me convaincre des bénéfices de ce genre d'enseignement. Après trois mois, force est de constater que, décidément, taper à la machine me tape surtout sur les nerfs! Je cherche – et trouve – un emploi de serveuse, mais à Montréal, où Jean travaille. La routine s'installe et, avec elle, mon insatisfaction. Je m'ennuie et la tension grandit entre nous. Le rôle de femme soumise et attentionnée me convient de moins en moins. J'y ai sauté à pieds joints et je ne sais plus qui je suis. J'ai l'impression d'étouffer. Des sentiments enfouis refont surface. J'ai peu de souvenirs d'enfance heureux. Pourtant, je n'ai matériellement jamais manqué de rien. Mais il régnait à la maison un silence pesant. On ne riait jamais, l'angoisse planait tout le temps. Pas de blagues racontées, pas de fous rires, pas de complicité. Toute la vie familiale tournait autour de mon père, que maman protégeait. De quoi avait-elle peur? De la fragilité cachée de mon père? Jean provoque chez moi la même angoisse. Lui non plus ne m'aide pas. Dans la vie, il mise sur la réussite sociale et professionnelle. Moi, je tente simplement d'être bien dans ma peau. On ne se trouve pas au même endroit. Mon déséquilibre est grand, trop profond pour que je puisse bâtir quoi que ce soit. Je n'ai aucune fondation, mon sous-sol est fait de trous béants, de crevasses sans fond. Jean, pas plus que Philippe, ne peut les remplir. La nourriture ne va pas tarder à reprendre sa place. Je l'ai tenue éloignée un moment, mais cette compagne ne me laisse jamais tranquille, elle attend son tour patiemment, elle sait qu'elle va finir par gagner et me terrasser. Elle sait que je ne peux pas me passer d'elle.

Sans m'en rendre compte, j'ai recréé les conditions qui avaient cours durant mon adolescence: tous les pions sont disposés pour que j'explose. Un amoureux parfait – physiquement et socialement –, un sentiment d'infériorité renforcé et alimenté par la pression constante de Jean pour que je change, une dépendance affective totale et maladive et une admiration sans bornes pour lui. Il a réussi, moi pas. Il n'a pas besoin de se priver, moi, oui. Il est équilibré, moi pas. Du moins est-ce ainsi que je le vois en ce printemps de 1983. Petit à petit, des conflits surgissent, des malentendus prennent des proportions gigantesques. Jean ne tolère plus de me voir au régime, ni malheureuse dans mon travail. Il se rend compte de mon déséquilibre. La carapace que je me suis construite se défait morceau par morceau. Je ne peux plus tricher au quotidien. Il connaît une partie de mon passé, mais je me suis bien gardée de lui dire que rien n'est réglé. Probablement parce que je suis certaine d'être sortie du gouffre.

Le grand amour est déjà terminé. Du jour au lendemain, je craque. Mes orgies de bouffe recommencent. Hors de tout contrôle, je dévore, j'engloutis.

Ce matin, ma violence verbale et physique explose. Comme il y a vingt ans, je menace de me suicider. On va bien voir combien l'homme de ma vie m'aime. Et comme mon père que je poussais à bout et qui réagissait violemment, Jean éclate. Au lieu de fuir comme le faisait Philippe, il m'affronte. Ce jour-là, j'arrive au travail avec un œil au beurre noir. Pour couper court à tout questionnement, je prétexte avoir reçu un coup de bâton de hockey, hier soir, sur la patinoire en arrière de la maison. Heureusement qu'il y a l'hiver au Québec.

Je ne sais pas parler de ma souffrance. À la place, je mange. Aujourd'hui, au travail, après l'affrontement avec Jean, je fais de nombreux aller-retour aux toilettes : c'est mon lieu de prédilection pour manger les gâteaux que je vole dans le frigidaire. Je les choisis sans crème et les glisse dans la poche de mon tablier… Josée, ma gérante, m'avouera plus tard qu'elle s'en était rendu compte : « Je te laissais faire, cela n'aurait servi à rien, tu souffrais déjà assez. » Que d'amitié et de compréhension.

Totalement désemparée, je demande à mon entourage de comprendre, de me tendre la main. Pas grand monde ne le peut, le risque est trop grand de basculer avec moi. Je dévore les gens comme la nourriture, je les prends en otage, je pompe toutes leurs énergies. Et selon leur force de caractère, certains s'enfuient, d'autres m'affrontent. Cet affrontement se termine généralement très mal.

Jean décide de prendre ses distances et se réfugie chez un ami. Il est complètement anéanti par ma violence destructrice. Il ne reconnaît pas la femme qui l'a séduit. Mon corps élargit de jour en jour. Je vide les placards et quand il ne me reste rien à manger, je vide les tablettes des dépanneurs. Je ne me cache plus pour manger. Mon besoin est tel que je mange partout, dans la rue, en voiture, au lit. Une de mes amies assiste, impuissante, à ma descente aux enfers. Un jour, alors que nous sommes en voiture, elle me regarde avaler une quantité impressionnante de chocolats et de biscuits. Elle s'en souvient encore... Je me suis gavée pendant une demi-heure sous ses yeux ahuris. Je vis du matin au soir avec une telle angoisse au ventre qu'il me faut la calmer sans discontinuer. Je suis une petite fille abandonnée, je connais bien ce sentiment, il me colle à la peau depuis ma tendre enfance. Toujours la même impression : je me vide de mon sang, je vais m'évanouir, j'ai des picotements dans les membres. Pourquoi m'abandonne-t-on ? Cette panique est intolérable.

Je téléphone à Jean tous les soirs, je veux qu'il revienne. Pourquoi ai-je si peur ? Je lui promets que cela ne se produira plus, je lui promets de ne plus manger, de changer de travail, de changer, moi aussi... Que de belles paroles... J'y crois comme on croit aux miracles. Après quelques semaines il revient à la maison. Je lui ai parlé de ma décision de retourner sur les bancs d'école... Pendant quelque temps, tout va rentrer dans l'ordre. Régime draconien, piscine tous les jours. Quand nous sortons au restaurant avec des amis, je me contente d'un jus de tomate. C'est ce que m'a raconté ensuite Céline, qui est devenue ma grande amie : « Je te trouvais bizarre, tu ne mangeais jamais. » Jean ne fait aucun commentaire. Lui aussi, il aime que je sois mince.

Six mois plus tard, nous nous installons à Montréal. Comme d'habitude, Jean voit grand, trop grand. Immense appartement à Notre-Dame-de-Grâce. Avec lui je retrouve la qualité de vie que j'avais avec mes parents, en même temps que le style de vie et les valeurs. Jean est un homme mesuré et ambitieux, aux antipodes de ce que je suis, mais je me sens en sécurité avec lui. Convaincue d'avoir gagné une fois de plus la partie contre ma boulimie, pleine d'enthousiasme et de ferveur, je décide de devenir diététiste, comme par hasard ! Je suis convaincue, vu mes problèmes, de choisir la bonne profession. J'ai lu tout ce qu'il est possible de lire sur les régimes, les vitamines, les calories, mais sans résultat. Je suis persuadée qu'en devenant diététiste, je vais avoir en mains tous les atouts pour me guérir. Je vais enfin savoir ce qui cloche chez moi ! Ayant abandonné très jeune toutes les matières scientifiques, je suis obligée, me dit la consultante de l'Université de Montréal, d'aller au cégep compléter ma formation. Je demande prêts et bourses, et me voilà partie pour étudier les maths, la biologie, la physique et la chimie, toutes les matières que je déteste. Mais on va voir de quoi je suis capable ! Effectivement, je travaille d'arrache-pied et termine le trimestre première de la classe, épuisée mais heureuse. Jean irradie, il a sur le visage la même expression que mon père le jour où je suis revenue à la maison avec mon diplôme du baccalauréat. De la fierté, probablement mélangée à de l'amour… J'ai enfin le sentiment d'être quelqu'un.

Le défi relevé et les vacances de Noël passées, le retour au cégep s'avère difficile. Quels sont ces démons qui ne me lâchent pas ? Je n'ai plus envie de continuer, mon esprit et mon corps font marche arrière. Pour la énième fois, je me place en position d'échec, comme pour prouver que je ne vaux vraiment rien. Mon malaise est bien trop profond. Mes succès scolaires ne suffisent pas à apaiser mes tourments, j'ai besoin de plus, beaucoup plus. De l'amour d'une mère, de la reconnaissance d'un père… J'explose : mon cœur ne supporte plus ces perpétuelles descentes, et Jean non plus. À chaque échec, je descends plus bas, à chaque échec, la claque est retentissante et désespérante. Je pensais pourtant avoir touché le fond. Mais ce fond est abyssal, il me donne le vertige.

À son retour du travail, Jean me trouve dans le lit de la chambre d'amis au milieu de déchets et de pots de crème glacée vides. Ses yeux traduisent du dégoût et de la souffrance mêlés. Pour lui, je n'ai aucune excuse valable… L'autre Annick a repris sa place, la moche, la grosse, l'incompétente, celle qui ne vaut rien. Je préférerais que l'on me larde de coups de couteau, je saurais au moins pourquoi j'ai mal. Je m'étais juré en sortant de l'asile psychiatrique de ne plus tenter de m'enlever la vie, je crois que je vais me trahir… Je suis prête à payer le prix fort pour ne plus souffrir. Le regard de Jean est impitoyable, moralisateur. Aucun signe de compassion ou de compréhension. Je manque tout simplement de volonté.

Ce soir, pour la première fois, nous ne dormirons pas ensemble. Je n'ai ni l'envie ni l'énergie de parler, je ne veux surtout pas entendre ses remarques offensantes. Mais le lendemain, j'accepte de prendre rendez-vous avec Annette, sa thérapeute, malgré beaucoup de résistance de ma part.

«Je n'aime pas les psychologues. Psychiatre ou psychologue, c'est du pareil au même. Elle va décortiquer mon passé et je vais être obligée de lui raconter ma vie. Et puis, je n'ai rien à lui dire.» Telles sont mes pensées, ce matin, assise dans le métro qui me conduit chez Annette. «Et en plus, elle habite au bout du monde…» Je ne comprends pas tout à fait pourquoi j'ai décidé d'aller la voir. Probablement pour plaire à Jean, pour ne pas le perdre. Il m'en parlait depuis plusieurs semaines. Et peut-être aussi un peu pour moi. Paraît-il que ça fait du bien…

Le souvenir de cette première rencontre est à jamais imprimé dans mon esprit. J'ai honte de me retrouver dans cette salle d'attente. Cela signifie aux yeux des autres que j'ai un problème. Pour l'instant, je suis fermement convaincue que lorsque j'aurai maigri, c'est-à-dire, lorsque j'aurai enfin trouvé le bon régime, tout rentrera dans l'ordre, y compris avec Jean. Peut-être qu'en parler m'aidera. Pour l'instant, je suis très mal à l'aise. J'entends une porte s'ouvrir, deux grands yeux clairs viennent me chercher.

Dans le cabinet de la psychologue règne un calme absolu. Je remarque un paquet de mouchoirs en papier et un canapé. Si elle m'avait dit ce jour-là que je finirais par m'y allonger, je ne l'aurais pas crue! Toute cette douceur et tout ce silence m'agacent. Je ne sais par où commencer. Alors elle m'aide. Puis vient la question sur mon enfance et mes rapports avec mes parents.

Ma réponse est sans appel: «Ne touchez pas à mes parents! Tout s'est toujours très bien passé, ils sont corrects. J'ai juste un problème de poids et de boulimie.»

Je tente tant bien que mal de lui expliquer le but de ma visite. (Au fond, je suis là pour Jean, pas pour moi…) Je fais un effort et lui raconte «ma vision» de ma vie: les responsables, ce sont les autres; ma colère, elle est justifiée. Ma boulimie me gâche l'existence. Sans elle, tout irait bien, puisque j'ai rencontré «l'homme de ma vie»… Encore incapable de considérer mon existence comme un tout, j'ouvre des cases bien distinctes où j'ai rangé tous les éléments disparates. Et surtout, je précise bien à Annette que certaines de ces cases sont intouchables. Ainsi commence la thérapie… Je décide de venir la voir une fois par semaine, puis j'espacerai les rencontres. Je n'ai pas l'intention de m'éterniser. Je veux faire vite: je regrette déjà d'avoir entrepris cette démarche.

Les premières entrevues se passent relativement bien, puis toutes ces discussions finissent par m'agacer. Chaque semaine, dans l'autobus qui me conduit au bureau d'Annette, je me questionne sur l'utilité de mes confidences. Et, paradoxalement, je me prends au jeu, je deviens dépendante. Comme pour chacune de mes relations, j'utilise la manipulation – j'ai aussi manipulé mes amis pour aller chercher de l'attention et de l'affection. Je me donne bonne conscience en ne ratant jamais un rendez-vous. Mais rien, absolument rien ne change. Je m'empiffre toujours, et ma relation avec Jean se détériore. Je ne veux pas lâcher le morceau, je n'écoute pas Annette. Cela me prendra des années. Elle me propose régulièrement d'aller consulter une diététiste, convaincue qu'elle ne peut faire le travail seule. Pas question ! C'est elle la psychologue, c'est à elle de m'aider !

Cette journée-là, je me lève de très mauvaise humeur, agressive, découragée et bien prête à faire passer un mauvais quart d'heure à Annette. Je n'ai plus envie de me rendre chez elle chaque semaine, j'ai l'impression de jeter mon argent par les fenêtres. Au fond, je me suis glissée dans le confort de la thérapie sans vraiment m'engager, et j'essaie de conduire cette thérapie à ma guise. Je tente de manœuvrer Annette comme j'ai manœuvré mes parents. Je ne veux vraiment pas m'affronter... J'ouvre la porte de son cabinet, complètement survoltée. À chacune de ses questions, je réagis violemment. Ce n'est plus Annette qui est en face de moi. Je l'insulte, hurle et l'agresse verbalement. Pour la première et la dernière fois, elle se met en colère. Hors d'elle, elle me dit fermement : « Je ne suis ni ton père ni ta mère. Sors d'ici. Quand tu seras décidée à collaborer, tu reviendras. Et à une seule condition : tu viens deux fois par semaine ou pas du tout. Maintenant, quitte ce cabinet. Dehors ! »

En état de choc, je me rends à l'autobus. Mon angoisse est telle que je n'arrive plus à respirer. J'ai de nouveau quinze ans. Je dois revenir chez Annette, comme je revenais chez mes parents. Je fais demi-tour et, timidement, je sonne.

« Que veux-tu ? » me dit-elle d'un ton sec en entrebâillant la porte.

Désespérée et en larmes, j'arrive à articuler quelques mots : « C'est d'accord, je vais venir deux fois par semaine. »

Je viens de franchir une étape, la première d'importance dans ma guérison. J'accepte enfin de me regarder en face. Mais pour l'instant, j'ai besoin de ma drogue, je dois me calmer. Sous la pluie battante, je marche en mangeant des gâteaux détrempés, sous le regard surpris des passants. Je ne suis plus dans la réalité, je suis une enfant qui a peur qu'on l'abandonne, j'ai eu peur qu'Annette m'abandonne. Tout doucement, un endolorissement me gagne. J'ai joué avec le feu et j'ai failli tout perdre. Je continue d'aller très loin à la recherche d'approbation et d'amour. Je teste encore et toujours les gens qui m'aiment ou qui veulent m'aider. Jusqu'à quel point sont-ils prêts à aller ?

La thérapie reprend, Annette est de plus en plus convaincue qu'il me faut réapprendre à m'alimenter. Je ne suis pas prête. Dans mon esprit, le mot régime est encore le mot clé qui m'ouvrira la porte du bonheur. Je suis têtue, elle est patiente.

C'est l'été. Je déteste cette saison où les corps se dénudent. Je ne peux plus tricher ni me cacher. Ma graisse est évidente. Je suis « la grosse ». Bien sûr, pas question de mettre un maillot de bain. Je me sens encore plus à part. Toutes les sorties avec Jean sont synonymes de torture. Je porte toujours de grands tee-shirts et des vêtements noirs. Pour les autres, l'été rime avec baignade, pique-nique, bicyclette et crème glacée. Pour moi, c'est uniquement avec crème glacée. Pour me dédommager des plaisirs interdits, je double les quantités. Jean ne dit rien. Il est de plus en plus distant et agacé, nos rapports sexuels deviennent inexistants, le désir a pris la fuite. Son rejet, bien que non exprimé, me blesse. C'est comme si je n'étais plus qu'un corps, comme s'il ne pouvait pas m'aimer grosse. Mais comment lui demander de m'aimer alors que je ne m'aime pas ? Comment lui demander de m'aimer à ma place ? Cette mission impossible, c'est pourtant celle que je donne à tous et chacun. Jean ne peut pas m'aimer contre mon gré, il ne peut me forcer à avoir de l'estime pour moi. Alors il vit à mes côtés, en espérant qu'un jour mes démons seront vaincus.

Mais aujourd'hui, ils sont plus que présents. Cela fait des mois que je bouffe, des mois que je vais en thérapie, et je suis totalement démunie. Mon corps fait du surplace, mon dégoût de moi est indescriptible, et ma vie ne vaut plus rien. D'ailleurs, je ne sais plus pourquoi je continue à vivre. Parce que je n'ai pas encore assez mangé ? Parce que je n'ai pas encore assez souffert ? Ou peut-être parce qu'il y a au fond de moi, comme toujours, une envie furieuse de vivre…

Assise sur le lit, dans la chambre d'amis où je dors seule, je suis presque en train de mourir d'avoir trop mangé. Mon estomac a triplé de volume, je le sens tendu, prêt à éclater. Il me fait extrêmement mal. Pots vides, papiers froissés, morceaux de biscuits écrasés sont les témoins de ma désespérance. Je veux mourir... Jean entre dans la chambre et c'est le drame. Il n'en peut plus, il se déchaîne : « Regarde-toi, tu n'es même plus désirable », crie-t-il, hors de lui.

La violence verbale ne suffit même plus à évacuer la rage et la souffrance. Pris de remords, il essaie de m'approcher. Telle une bête, je me sens traquée et je l'agresse. Sa main se lève et frappe. Et soudain ne me parvient plus aucun son : il vient de me percer le tympan. Commence alors l'escalade de la violence physique. Nous sommes tous deux déconnectés, ma souffrance l'a atteint. À plusieurs reprises, mes agressions physiques vont me faire peur, et lui faire mal. Je vais terminer la nuit à l'urgence de l'hôpital, brisée, perdue, honteuse.

À partir de ce jour-là, ma santé physique et psychique se détériore. Je ne contrôle plus rien. Je déteste ma vie, mon travail (grâce à la tante de Jean, j'ai obtenu un emploi dans une banque). Jean sort de plus en plus et rentre ivre, au matin. Je l'attends, assise dans le fauteuil près de la fenêtre. Je jure alors devant Dieu que je ne mangerai plus, que je serai douce, aimante et « comme il faut », mais à une condition : qu'il rentre et qu'il continue de m'aimer. Je guette le bruit des voitures, il revient à la maison quand le jour se lève... Il ne dit rien mais les marques sur son dos m'en disent long sur son emploi du temps avec d'autres femmes. Il est paumé, autant que moi.

Nous décidons de nous séparer pour quelques mois. Je pars vivre chez Josée, une amie qui m'offre généreusement hospitalité, gîte et couvert. Depuis longtemps elle assiste impuissante à mon désarroi, mais son attitude est tellement différente de celle de Jean ! D'ailleurs, elle ne l'aime pas beaucoup... J'arrive chez elle avec quelques vêtements et ma boulimie. Elle m'installe dans la chambre d'amis et me dit : « Fais comme chez toi. » Et me montrant le tiroir du buffet dans le salon elle ajoute : « Il y a du chocolat si tu en as envie... » Elle comprend tout, elle sait tout. Première parole d'amour à une boulimique : je ne l'oublierai jamais. Aucun jugement, aucun ordre, juste de la compassion pour une amie qui souffre. En me fournissant ma drogue, elle me facilite la vie. La douleur de ma séparation avec Jean est névrotique. Je ne peux pas couper le cordon. Ce déchirement est inhumain et insupportable, le mal qu'il me fait vient de loin, d'un passé que je ne connais pas, d'un passé dont personne ne veut ou ne peut me parler. Que m'arrivera-t-il si je me retrouve seule? C'est plus que de la peur: de la terreur. Je passe des soirées à harceler Jean au téléphone et à hurler. Je veux comprendre son rejet. Qu'ai-je fait de mal? Je suis prête à tout pour revenir avec lui.

Noël approche. Pour décorer le sapin, je décide de faire des petits sablés et de les accrocher aux branches. Je demande à Josée de m'accompagner à mon ancien appartement, car j'ai besoin de la recette de pâte. C'est le milieu de la semaine, Jean doit être au bureau. Mais en arrivant devant la porte de la maison, je l'aperçois avec, à son bras, une femme superbe aux lèvres rouges pulpeuses. Il me sourit, mal à l'aise. Je suis insultée, je me sens bafouée. Josée m'entraîne de force dans la voiture, et démarre. Elle est obligée de s'arrêter un peu plus loin pour me calmer. Tout en me caressant le visage, elle me dit doucement: «Je t'aime, moi, Annick.» Mais je ne décolère pas. La femme qui était avec Jean représente ce qu'il ne voulait pas que je sois. Il n'aimait pas que je mette du rouge à lèvres...

Mais je ne m'avoue pas vaincue et je continue à chercher un équilibre. Toujours à l'affût d'informations concernant la boulimie, je prends contact avec les Outremangeurs anonymes. C'est un groupe qui s'apparente à celui des Alcooliques anonymes, ils ont d'ailleurs la même bible. Cela fonctionne pour les alcooliques, alors pourquoi pas pour les boulimiques! Je fais toutefois preuve de résistance, je déteste cet étalage d'émotions et d'expériences sordides. Parler en public d'orgies alimentaires ne me semble pas une voie très saine. Malgré mes craintes, je décide d'assister aux réunions hebdomadaires. Loin de me réconforter, les récits que j'entends me désespèrent. Je ne veux pas être comme tous ces gens-là, je ne veux pas raconter mon gavage et mes vomissements. Cela m'appartient, à moi seule. Ce n'est pas de l'orgueil, c'est plutôt de la pudeur. Gratter ses bobos devant tout le monde et parler régulièrement de sa déchéance, cela ne me convient pas. Des témoins ne me sont d'aucune utilité pour me vider les tripes. Mes laxatifs quotidiens jouent ce rôle, et très bien. Si j'ai perdu confiance en moi, qu'on me laisse au moins ma pudeur et mon intimité.

Un jour, à la fin d'une réunion, j'entends parler d'une maison de thérapie où, paraît-il, s'opèrent des «miracles». Cet endroit s'appelle La maison du bonheur et se trouve à Lanoraie. J'ai envie de tenter ma chance, car la thérapie est différente. Pas de gros groupes, pas de récits misérables. Mais tout miracle se paye: plus de mille dollars pour une semaine. Je n'ai pas un sou, mais j'y crois. À un point tel que pour la première fois – j'ai alors trente-quatre ans –, je vais avouer clairement mon problème de boulimie à tous mes amis. La démarche que je vais entreprendre pour réunir la somme voulue peut paraître anodine, mais elle représente une étape de plus dans la guérison. Je dresse la liste de douze personnes ou couples amis capables financièrement de me donner cent dollars. À chacun j'écris une lettre expliquant ma situation, nommant ma maladie et demandant un don pour pouvoir séjourner à Lanoraie. Et ça fonctionne. Je dois me présenter à La maison du bonheur à la mi-janvier. Première réaction symptomatique: je téléphone à Jean pour lui faire part de ma décision. Il en est heureux et me rend visite chez mon amie. Nous décidons de reprendre la vie commune dès mon retour. J'ai regagné sa confiance. La «petite» Annick est rassurée, on ne l'abandonnera pas.

Pendant ce temps, Annette continue de m'accompagner. Elle n'approuve ni ne désapprouve mes choix et mes recherches. Elle m'a déjà fait sa recommandation: consulter une diététiste. Je ne veux toujours pas en entendre parler, je résiste, je suis convaincue que cela ne servirait à rien. La thérapie se poursuit chaque semaine. Pendant une heure je me raconte, et les indices s'accumulent sans doute. Annette sait où elle s'en va, moi pas.

C'est le jour de mon départ pour Lanoraie, Jean va m'y conduire. Il me dit que mon père a téléphoné (il ne sait pas que j'ai déménagé). Maman a des problèmes de santé : un nerf coincé dans le cerveau qui paralyse tout son côté droit. Il va falloir l'opérer... La famille a pensé me prévenir. Cela n'a pas toujours été le cas.

Je ne peux oublier que le silence a verrouillé toute mon enfance, il s'est étendu sur ma vie, comme des tentacules. Silence des mots, silence du cœur : la mort doit ressembler à cette négation des sentiments, à ces bouches ouvertes et muettes. Peur de dire, peur de s'exposer, peur de se révéler...

Au mois de juillet 1985, lors d'un voyage en France avec Jean, j'en ai eu la révélation douloureuse. En ce soir d'été, le soleil ne se décide pas à se coucher. Il est 10 heures. Alors que la pénombre commence à changer le contour des choses, maman et moi sommes assises sur le perron, à la recherche de fraîcheur. Elle est proche de moi, je savoure ce moment de grâce. Mais brusquement, comme pour se libérer, elle prend la parole, brisant notre intimité : «Annick, je dois te montrer quelque chose. Je n'ai pas voulu t'en parler avant.»

Portant lentement sa main vers sa poitrine, elle déboutonne son chemisier et dégrafe son soutien-gorge. Je ne sais pas à quoi m'attendre, je ne comprends pas. Et soudainement, j'aperçois une longue cicatrice rouge : elle n'a plus de sein droit. Ma vue se trouble, je suis anéantie. Ma mère a subi la pire amputation et je ne l'ai jamais su. L'horreur de la situation dépasse l'entendement. Non seulement la vision de cette poitrine mutilée me bouleverse, mais le silence qui a accompagné cet événement est la pire des trahisons. Personne ne m'a jamais rien dit. Pourquoi ? Mais pourquoi ? Ne suis-je pas sa fille ? J'ai mal pour ma mère, j'ai mal dans mon cœur de fille. Je passe de la colère à la tristesse et au désespoir.

«Tu étais trop loin, ça n'aurait rien changé», ajoute maman après un long silence. Toujours ce silence. Il a fait partie de ma vie depuis les premiers jours où j'ai pu parler. Et aujourd'hui il a atteint son paroxysme. J'ai envie de tout briser, de partir, de ne plus revenir... et de manger, comme toujours, comme avant. Pour remplacer les mots...

Jean viendra me retrouver chez mes parents une semaine plus tard, et les vacances se finiront dans l'horreur... Bouffe, violence, révolte. J'emprunte le seul chemin connu. Maman m'obsède... Elle savait depuis deux ans qu'elle avait une boule dans le sein, elle n'a rien dit, pour ne pas gâcher nos vacances d'été! Alors, pendant de longs mois, le cancer a progressé. Il a fini par gagner contre celle qui s'est tue toute sa vie. Protéger ses enfants, protéger son mari au prix de sa vie. J'hallucine! Mais ça ne s'était pas arrêté là. La famille avait pris le relais : elle m'avait caché la vérité. Toujours cette absence de mots, ces regards détournés.

Mais cette fois, papa m'a prévenue : ta mère entre à l'hôpital pour une opération mineure. Je n'aurais pas dû le croire...

Sur le chemin qui me conduit à La maison du bonheur, Jean est de nouveau tendre et amoureux. La séparation nous aurait-elle fait du bien? La raison est tout autre... Je l'apprendrai plus tard. Devant la porte, Jean me souhaite bonne chance, il est confiant, moi aussi. Le centre de thérapie est géré par un couple et reçoit des boulimiques par groupes de cinq. Le programme de la semaine est fort simple : relaxation le matin, discussions, participation aux repas. Une femme nous donne des cours sur « l'alimentation naturelle », elle nous apprend à faire la cuisine, à doser la quantité d'aliments. Son mari est le « théoricien ». En ce matin du mois de janvier, la discussion tourne mal : il essaie de me convaincre de bannir le sucre et le vin à jamais, seul moyen de guérir. Je refuse totalement de suivre cette indication. Je ne peux accepter d'être différente encore! Je me rends compte que j'ai payé mille deux cents dollars pour me faire exclure, une fois de plus, de la vie normale. Je trouve cette théorie non seulement irréaliste mais extrémiste. La discussion est animée, je me mets en colère et déclare ouvertement que jamais je ne consentirai à un tel sacrifice.

Troisième jour de la thérapie : pour prouver à toutes les participantes – ce n'est pas un hasard s'il n'y a que des femmes – que le sucre se cache partout – ah! paranoïa quand tu nous tiens –, il nous convie à faire le marché au magasin du coin. Nous marchons toutes en rang d'oignons derrière notre guide ! J'ai honte… Je suis revenue à la maternelle, j'apprends à lire les étiquettes. Après une journée de lavage de cerveau, après mon parcours du combattant, je rends les armes et j'accepte l'évidence : rien n'est plus dangereux pour une boulimique qu'un supermarché ! Le lendemain, nouvelle visite guidée, mais cette fois dans un magasin de produits naturels. Là, on nous laisse toute liberté : c'est la caverne d'Ali-baba pour une boulimique en rémission : confitures sans sucre, céréales sans sucre, sauce tomate sans sucre, crème glacée sans crème et sans sucre, et fromage au tofu ! Moi qui traverserais Montréal à genoux pour une salade au fromage bleu ! Croyez-le ou non, j'ai opté pour le fromage au tofu… On a réussi à me convaincre que ma guérison passe par la voie naturelle ! (Je tiens ici à dire que j'aime le tofu et que j'en mange, mais pas à la place du fromage !) Je passerai la fin de la semaine à copier des recettes au tofu : entrées, mets principaux, desserts, collations. Je mange tofu, je vis tofu, je rêve tofu. Des pousses de soja me sortent par les oreilles, mais j'ai effectivement perdu un kilo et demi à la fin de la semaine. Je n'ose le dire, mais je trouve les portions bien petites dans mon assiette… Je ne dois pas être complètement guérie !

Finalement, au bout de deux semaines, je suis tellement heureuse d'avoir maigri que je quitte le centre, pleine d'espoir, convaincue que les «gourous de la santé» ont raison. Mais ce sera sans compter sur mon irrépressible gourmandise… Je finirai par revenir au vin rouge et au fromage bleu, Dieu merci ! Je suis une irréductible…

Dans la voiture, sur le chemin du retour, Jean me parle de nous, de moi et de son bonheur de me savoir sur le «droit chemin». Je lui explique avec conviction – j'essaie sans doute de me convaincre moi-même – que «l'alimentation naturelle» est la solution, que le tofu vaut du foie gras et que, dès aujourd'hui, nous allons manger «santé». Détour au magasin de produits naturels pour faire provision de nourriture anti-boulimie ! Cela coûte une fortune, mais je suis prête à payer le prix fort pour manger sans sucre. Je comprendrai très vite que c'est un autre attrape-nigaud. Sucre ou pas, gras ou pas, une boulimique reste une boulimique. Mon rapport avec la nourriture n'a absolument pas changé. Il est fait d'interdits, de frustrations et d'ostracisme. Chaque fois que je mange à l'extérieur, soit au restaurant, soit chez des amis, je « triche ». Rien que ce mot sous-entend « punition » le lendemain. Je vis encore en dehors de la réalité, je suis « anormale ». Il me reste une solution : persuader mes amis et le monde entier que le sucre est un danger mortel et que boire du vin est la pire des calamités !

Pendant quelques semaines je tiens bon. Et je maigris. De quoi pourrais-je me plaindre ? Jean et moi repartons de zéro, je suis une nouvelle femme. Tous les matins, je lis ma bible et demande à Dieu de m'aider à passer la journée : un jour à la fois, c'est mon nouveau credo. Mais le miracle ne durera pas longtemps. Plusieurs événements majeurs vont faire basculer ma vie de nouveau. S'il me fallait des preuves que La maison du bonheur était celle de l'échec, j'allais les avoir...

Pendant mon séjour à Lanoraie, papa m'a écrit pour la première fois de sa vie. Au bas de la lettre, quelques mots maladroitement tracés de la main gauche par maman. Depuis son opération, elle a beaucoup de difficulté à se servir de son bras droit. Dès mon arrivée à la maison, je bondis sur le téléphone, car j'ai hâte d'avoir de ses nouvelles. Étrangement, c'est mon frère qui répond. Que fait-il donc loin de son travail et de sa famille ?

« Bonjour, j'aimerais bien parler à maman, dis-je gaiement.

— Je peux pas te la passer, elle dort. »

Je sens qu'il se passe quelque chose d'anormal, mais il me rassure : « Maman est juste fatiguée », me dit-il.

Quelques semaines plus tard, un soir, vers 9 heures, le téléphone sonne. Une seule phrase, une seule suffit pour que la vie s'effondre, pour que la nuit tombe sur moi.

« Allô, Annick, c'est papa. Sois courageuse, ta mère est morte. »

Je suis assommée. Comme ça, du jour au lendemain, ma mère disparaît, emportée par un cancer généralisé. Elle ne m'a pas parlé, pas vue, pas entendue. Elle est partie sans rien me dire.

Et, bien sûr, personne ne m'a mise au courant de la gravité de sa maladie : le silence est toujours d'or... Un hurlement, une douleur, une déchirure. Je ne peux pas croire à son absence définitive, je ne peux pas croire que je serai privée de son regard limpide, de ses mains dans les miennes. Elle est partie sans tenir compte de sa petite fille, elle a décidé de me rendre ma liberté. Mais, maman, je ne sais pas quoi faire de cette liberté ! Je n'ai pas appris à respirer sans toi. Quand tu n'es pas là, je te cherche, je t'appelle, j'essaie de te retrouver dans les autres. Comment vais-je vivre désormais ? Qui va m'apprendre à marcher ?

Jean me fait couler un bain. Assise dans la baignoire, je me mets à chanter pour ne pas souffrir, pour repousser l'évidence et la vérité. « Elle ne peut pas m'avoir abandonnée. » Puis, dans mes moments de lucidité, je m'effondre. Le lendemain matin, je réserve un billet d'avion pour la France et je me retrouve au milieu de ma famille un jour plus tard. Pendant une semaine, je vis dans la brume et l'irréalité. Tout va très vite : enterrement, notaire, visite de la famille. Puis retour à Montréal. C'est le contrecoup. Un énorme contrecoup. Un pan de ma vie s'écroule. La source de ma souffrance vient de se tarir. Cette disparition m'attire vers le fond. Je suis incapable de supporter cette déchirure. Le dernier bout de cordon se détache en m'arrachant de l'enfance. Il m'aura fallu trente-cinq ans...

Je ne le sais pas encore, mais ce jour-là sera celui de ma naissance, la vraie. Il m'aura fallu perdre ma mère pour naître à la vie, pour devenir enfin autonome et fière d'exister. Pour le moment, je suis assise dans le salon, figée, ailleurs. Je dois vivre sans elle et je ne sais pas, je n'ai pas appris... Le seul réflexe que je connaisse, c'est celui d'ouvrir la porte du placard ou du frigo à la recherche de nourriture. Et l'horreur recommence, la déchéance. Je mangerais les tablettes si je le pouvais. Et je mange en pleurant, en criant. Je m'étouffe et je hurle : « Pourquoi m'as-tu abandonnée ? » La petite fille ne comprend pas. La douleur est viscérale, elle occupe tout mon corps. Le frigidaire ne me suffit pas. À peine remise de mes vomissements, je sors dévaliser l'épicerie du coin. Lorsque Jean revient du travail, il me trouve allongée dans un lit jonché de restes de nourriture. Les mâchoires crispées, il sort de la chambre. Lui aussi doit faire un deuil. Je ne suis pas encore guérie, loin de là. Le miracle n'a pas eu lieu...

Les mois suivants se résument en trois mots : bouffe et désespoir. Annette m'aide à garder la tête hors de l'eau. Je ne raisonne plus, je ne fonctionne plus, je suis une épave.

La vie se charge de me donner un autre grand coup de poing sur la gueule. Pendant notre séparation, Jean a fait la découverte de The Forum, un organisme mieux connu sous le nom de EST, pour Ehrardt Seminar Training. Fondé en 1971 par Jack Rosenberg, l'organisme est une multinationale de la thérapie transpersonnelle. Jean est devenu un accro, il ne jure que par ça. Je commence à comprendre la raison de ses changements d'humeur et de comportement. Depuis la mort de maman, il réagit différemment à ma boulimie. Son indulgence est malsaine, il affiche la supériorité de celui qui a trouvé «la vérité». Il semble que plus rien ne peut l'atteindre. Il a pitié de moi... Son jugement sur Annette se modifie : «Ça va trop lentement, Annick, c'est trop long, tu ne t'en sortiras jamais.» Il met de la pression, un peu tous les jours. Il s'absente souvent les fins de semaine pour participer à des séminaires. Lorsqu'il revient, c'est pire. Ses confrontations sont de plus en plus virulentes et destructrices. Il me fait peur. J'ai peur, car je me sais vulnérable. Il veut m'embarquer dans Forum, il est même prêt à me payer une fin de semaine (cinq cents dollars américains). Je flaire le danger. Il veut transformer tout le monde et invite parents, amis et moi-même à une soirée d'information à l'hôtel Ramada Inn.

Pour la première et la dernière fois de ma vie, je vais assister à une séance de programmation. L'animateur est incontestablement un très bon communicateur, et il est dangereux... Tout est arrangé. Il présente des films montrant comment il s'y prend pour «faire craquer» les participants pendant le stage. C'est insoutenable. Puis il nous abjure de nous inscrire si nous voulons «être sauvés». Un doigt se lève dans l'assistance. Cette personne dit qu'elle ne peut participer à une fin de semaine, car c'est au-dessus de ses moyens. Jean se lève pour proposer de payer... Je ne sais plus qui il est, je ne le reconnais plus. Au moment de la pause, je m'isole pour faire la paix et le vide. Je suis effrayée et angoissée. J'ai peur de l'homme avec qui je vis. Assise dans un fauteuil, je réfléchis à ma thérapie avec Annette, à ma boulimie. Soudain arrive une femme nommée Maryse – tous les participants ont leur prénom accroché à la poitrine.

« Bonsoir, puis-je m'asseoir ? me demande-t-elle.

— Bien sûr, dis-je d'un ton poli.

— Comment avez-vous trouvé la première partie de la présentation ?

— C'est de la folie pure et simple, du lavage de cerveau. Vous rendez-vous compte de ce que vous faites ? C'est criminel et dangereux.

— Je suppose que tout va bien dans votre vie, Madame. Sinon, vous comprendriez le sens de cette thérapie. »

Elle n'est pas tombée sur la bonne personne !

« Non, tout va mal, au contraire. Puisque vous me posez la question, je vais vous dire exactement ce qu'il en est. Je suis boulimique depuis vingt ans, je souffre et j'essaie de m'en sortir. Je suis en ce moment une thérapie avec une psychologue.

— Ça ne sert à rien, dit-elle, agressive. Continuez ainsi et vous resterez boulimique toute votre vie. Croyez-moi, si vous ne faites pas Forum, vous finirez mal. »

Je suis complètement assommée et ébranlée. Cette femme tente de me prédire mon avenir. Je me sens déjà sur la corde raide, fragilisée par la mort de maman. Mais quelque chose en moi me garde à l'abri de ce genre de « thérapie », probablement une sorte de force intérieure, un instinct de survie.

Jean s'approche : « Ça va ? Tu viens ? La deuxième partie va commencer. » Il affiche ce sourire mielleux et compatissant. Même s'il me fait peur, je bouillonne. J'ai envie de le réveiller, de le prendre par le bras et de lui dire : « Viens, allons-nous-en loin d'ici. » Cela ne servirait à rien. Il est déjà loin, sur un autre territoire que le mien…

Dans la voiture, sur le chemin du retour, je lâche ma colère et ma peur. Les mots propulsés par l'angoisse frappent fort. Il doit savoir ce que je pense de toute cette séance de manipulation et du bel avenir que m'a promis sa collègue. Je sais à cet instant que je m'en sortirai. Comment? Pas la moindre idée. Mais j'ai compris que la solution sera mienne, que j'irai à mon rythme, en douceur. Jamais plus je n'accepterai qu'on me prenne en charge.

Hors de lui, Jean ne parle pas, il crie: «Je t'aime, Annick. Mais si tu veux rester avec moi, tu dois faire Forum.»

Il est déchaîné. Son regard me paralyse.

Je crie plus fort que lui, les veines du cou gonflées par la colère. «Arrête! Arrête cette voiture, je veux descendre. Laisse-moi descendre.»

Il obtempère et freine brutalement. Je sors de la voiture en claquant la porte. Les larmes évacuent le reste de mon angoisse. Jean est reparti sur les chapeaux de roues. Je marche un moment pour tenter de me calmer avant de rentrer en autobus. L'arrêt à l'épicerie fait partie du programme. Je me bourre, j'étouffe ma peur. Mon vide se comble, comme d'habitude. Le calme revient. Jean rentrera au petit matin, ivre.

Les mois suivants sont des mois de survie et de sauvetage. Tant bien que mal, j'essaie de recoller les morceaux du couple. Avons-nous déjà formé un couple? Ce n'est pas, en tout cas, l'idée que je m'en faisais... Je continue d'aimer Jean – l'ai-je jamais aimé? – malgré ses aventures, ses beuveries et Forum.

Ce soir, nous avons décidé de faire un petit souper d'amoureux. Les heures s'écoulent. Sept heures, huit heures, dix heures, minuit. Pas de nouvelles de Jean. Une fois de plus, je guette son arrivée derrière la fenêtre du salon. J'ai passé des nuits blanches, assise dans ce fauteuil, pleurant et espérant son retour. Ce soir sera le dernier. Le téléphone sonne. Il est une heure du matin.

«Allô, c'est moi. Ne m'attends pas. J'ai rencontré quelqu'un. Je l'aime et je veux vivre avec elle. Je te laisse quinze jours pour déménager.»

Il raccroche... Maman m'a quittée, maintenant c'est Jean. Désespérée, comme un bébé abandonné, j'angoisse. Ma respiration bloque, j'ai l'impression que je vais mourir. Je ne tolère pas cette séparation. Heureusement, j'ai le numéro de téléphone personnel d'Annette. Elle savait que je pourrais un jour en avoir besoin. Son mari décroche :

« Puis-je parler à Annette ? C'est Annick.

— Un moment. »

Il me passe Annette. Elle comprend très vite que je suis en train de perdre les pédales. Sa voix douce tente de me calmer.

« Respire, Annick, il ne va rien t'arriver. Respire doucement. » Et pendant quatre heures – toute la nuit, en fait – Annette ne lâchera pas le téléphone, elle ne me quittera pas tant qu'un calme relatif ne sera pas revenu. J'ai rendez-vous avec elle le lendemain après-midi. Elle ne m'abandonne pas. On ne peut abandonner une petite fille qui a peur à un point tel qu'elle pourrait mourir…

Puis j'appelle mon amie Joanne, qui vient passer la fin de la nuit et la matinée. À l'arrivée de Jean, elle s'esquive.

Jean ne dit pas un mot, passe sous la douche et se prépare à partir au travail. Avant de quitter la maison, il me demande si je peux toujours le conduire à l'aéroport le lendemain. Son voyage au Portugal est prévu depuis longtemps. Je le lui confirme et, par la suite, je demande à Joanne de m'accompagner. Seule, je serai incapable de le laisser partir.

Quinze jours plus tard, j'ai quitté l'appartement. Je n'ai plus rien, Jean m'a racheté mes meubles un à un chaque fois que je manquais d'argent. J'ai gardé une table et deux chaises, un peu de vaisselle et mes livres. Avec un vieux matelas, c'est tout ce qu'il me reste. Je ne sais pas encore que j'emporte avec moi le plus important : ma propre existence.

Femme de personne

Au fond de moi, je ne lâche pas prise. Comme avec maman. Je vais tout faire pour revenir avec Jean. Mon premier défi, le seul qui occupe mes pensées depuis vingt ans : maigrir, arrêter de me bousiller l'estomac, guérir, enfin. Et, malgré tous les échecs précédents, je crois encore aux régimes. Je recommence Scarsdale pendant deux mois ; chute miraculeuse de poids. Je tiens bon, car j'ai un but : plaire de nouveau à Jean. Puis j'entends parler d'une nouvelle recette miracle : le régime aux protéines liquides. J'ai vite fait de me procurer l'adresse d'un médecin. Un des amis de Jean a suivi cette cure qui, paraît-il, est extraordinaire. Le rituel de la consultation est immuable : nue sur un pèse-personne, un stéthoscope sur la poitrine. Conclusion : je suis en bonne santé, je peux donc suivre ce régime. J'ai hâte de débuter, car il est tout nouveau. Je regarde le médecin préparer ma nourriture pour la semaine. Des petits sachets en papier contenant une poudre au chocolat ou à la vanille, et j'ai le droit de manger un «vrai» repas le soir, genre grillade et salade. Le matin et à midi, je prépare mon superbe repas diététique : un verre d'eau dans lequel je mélange la poudre. Un délice ! Un gain de temps admirable. À la fin, je fantasme sur la mastication, ce qui commence à m'inquiéter ! Ayant parallèlement décidé de nager tous les matins au YMCA, j'obtiens des résultats rapides. Enfin mince ! Mais pauvre, car ce régime coûte extrêmement cher. Je suis finalement présentable… et désirable.

Je téléphone à Jean. Il n'est plus avec personne. Son aventure a duré ce que dureront toutes les autres. Il passe d'un cœur à l'autre, fait ses rencontres dans les bars ou à Forum. Nous prenons rendez-vous. Je sais qu'il va me trouver belle, je connais ses goûts et ses désirs. En effet, je le séduis encore une fois, nous passons la nuit ensemble, comme avant. Mais le lendemain, il reprend la fuite. Ma minceur n'a servi à rien. Il ne m'aime plus. La douleur de la séparation m'envahit de nouveau.

À partir de cet instant, je décroche et commence à m'enfoncer dans le désespoir. Je perds tout point de repère. Les six mois suivants vont être cruciaux. Il aurait suffi de peu pour que je traverse le miroir. Annette me suit de près. La bouffe continue ses ravages d'autodestruction, mais ce n'est pas assez. L'alcool et les médicaments prennent de plus en plus souvent le relais. Complètement éclatée, hors de mon corps et de mon esprit, j'entre dans tous les bars, j'arpente les rues de Montréal à la recherche de Jean. Aujourd'hui, mes seuls souvenirs de ce moment sont des images sans suite. Un film mal monté où je ne perçois que violence, agressivité et souffrance.

Un jour, au tout début de ces six mois, Annette me reçoit très tard à son cabinet. J'ai terriblement peur. Je touche mon visage, mes mains et je ne me sens plus. Je suis à l'extérieur de moi, je suis une autre. Annette me rassure : c'est ce qu'on appelle la « dépersonnalisation ». Elle me gifle. Je reviens à moi. Une heure plus tard, je repars épuisée. Arrêt au dépanneur pour aller chercher ma drogue. Annette m'a une fois de plus sauvée du pire…

Le lendemain, je décide de résilier mon bail et de chercher une chambre à louer. J'ai quitté mon travail et me suis inscrite au chômage. Je ne veux plus vivre seule, je ne supporte pas la solitude, l'angoisse est trop forte. Le mouvement, le bruit et les gens me gardent en vie. Je m'installe à Outremont dans une grande maison paisible et rassurante. La propriétaire est aimable, mais je continue de dériver. J'avale de plus en plus de médicaments et bois régulièrement. Je dérape. Je ne me fais pas peur, car je ne suis pas consciente de mon état. Mes amis me raconteront plus tard… Un matin, tout va basculer. L'angoisse ne me quitte pas. J'ai beau me gaver de nourriture et de pilules, je ne retrouve plus ma route. À 10 heures du matin, direction Le Lux : frites et vin rouge. Mon cœur est déchaîné, je le sens palpiter. Que m'arrive-t-il ? Je reviens à la maison. La propriétaire me regarde, inquiète. J'ai, paraît-il, l'air blafard et le visage torturé. Je presse mes mains, je bouge sans arrêt et j'ai de la difficulté à respirer. Je suis très agressive et commence à taper dans les murs. Puis je monte dans ma chambre. Quelques minutes plus tard, deux ambulanciers entrent sans frapper. La propriétaire affolée leur a téléphoné. Ils tentent de me convaincre de consulter un médecin.

« Je vais très bien, je n'ai besoin de personne, foutez le camp ! » Je répète cette phrase sans arrêt, comme un leitmotiv. Je leur défends de me toucher.

Après une longue discussion, ils m'embarquent dans l'ambulance, mais au fond de moi, la révolte gronde. Révolte ou dernier sursaut de résistance. Quelques instants plus tard, je suis à l'hôpital Saint-Luc en psychiatrie. Une image me hante encore : pendant qu'on m'attache sur le lit, je hurle et je crache au visage des infirmiers. Ils me laissent seule. Hors de moi, je déplace le lit à la seule force de mes mouvements de rage : j'ai réussi à traverser toute la chambre. Je n'en peux plus. Je me mets à pleurer. Ce sera ma dernière crise de violence. J'ai expulsé toute ma rage et mon désespoir. Mais l'image de maman est restée intacte.

Quinze jours plus tard, Annette me rend visite. J'ai gravé cet instant dans ma mémoire. Je porte un chandail vert en laine et un pantalon bouffant noir et blanc. Sa voix douce me berce, son regard clair me rassure. Je ne me souviens pas de nos paroles. Je devais être totalement déstructurée. Une de mes amies m'a confié plus tard ce que lui avait dit Annette après sa visite à l'hôpital : « Je ne peux plus rien pour Annick. Elle passe ou elle casse. »

Ces semaines ont été décisives. Zombie, je déambule dans les couloirs. Rien de plus sinistre qu'un service de psychiatrie. Je me demande toujours ce que je fais là : suis-je si malade que ça ? Est-ce que je ressemble à tous ces gens assis à longueur de journée à attendre que la vie passe ? Seules distractions : la prise de médicaments et les repas. Puis j'ai droit à une première sortie, en groupe, sous surveillance. Direction : le McDonald's de la rue Sainte-Catherine. Magnifique point de chute où je déguste un bon café ! Drôle de bouffée d'air pur, bizarre manière de reprendre contact avec la réalité ! Je rencontre un psychiatre une fois par semaine. Je lui parle de mes précédents séjours en psychiatrie, de mes problèmes de boulimie. Ça m'agace, j'ai l'impression de parler dans le vide.

Rien n'est réglé, mais la crise est passée. On ne peut me garder indéfiniment à l'hôpital. On me laisse sortir à condition que je rencontre un psychiatre une fois par semaine en clinique externe. Je n'ai plus de chambre, plus de travail, mais je continue de respirer et de marcher, même courbée.

Grâce à Annette, je ne me brise pas. Je suis convaincue aujourd'hui que sans nos rencontres, parfois houleuses, souvent difficiles, je ne m'en serais pas sortie. Ensemble, nous avons défriché le terrain, abattu les arbres qui me cachaient la vue, tracé un sentier. Une fois ce travail accompli, moi seule pouvais avancer et emprunter ce sentier ou bien reculer de nouveau dans ma forêt profonde. Les pas, je ne les ai pas faits seule. Des amis ont tenté de m'accompagner un certain temps. Ils m'ont vue souffrir, trébucher, reculer. Certains m'ont mise à la porte, pour mon bien… Et sans leur refus de tomber avec moi, je n'aurais pas continué à me battre. Pour qu'enfin maman me lâche la main, pour qu'enfin je grandisse.

Dix ans plus tard, Philippe est encore mon sauveur. Avec Josée, sa compagne, il accepte de m'héberger chez lui, à Saint-Jean-sur-Richelieu. Il me connaît très bien et sait que ce ne sera pas facile. En arrivant, je préviens Josée.

« Tu vas faire comme les autres, tu finiras par me mettre à la porte ! » dis-je d'un ton provocant.

Josée, très patiente, m'avouera plus tard qu'elle était convaincue de pouvoir m'aider. Philippe lui conseille de me laisser tranquille, de ne pas me forcer à agir contre mon gré.

Je passe mes journées à manger dans ma chambre, à vider leurs placards. Je développe une tactique spéciale qui me servira plus tard : manger d'un peu de tout pour qu'ils ne se rendent pas compte que je pique de la nourriture. Et quand je ne peux doser savamment, je remplace les aliments mangés en m'assurant de remettre la même quantité. Philippe n'est pas dupe et Josée commence à s'impatienter. Je sors de temps en temps et m'installe à la terrasse qui jouxte le restaurant de Philippe. Je traîne mon ennui et ma déprime, je n'ai envie de rien, à part manger. Et je clame haut et fort mon dégoût pour l'existence.

J'ai rendez-vous aujourd'hui avec un psychiatre que je ne connais pas en clinique externe. Une fois de plus, je raconte mon histoire. Serait-il possible que les psychiatres d'un même service se consultent au sujet de la patiente qu'ils traitent? Devant lui, je suis fermée, le contact ne passe pas, il m'énerve. Je suis même agressive. Il me parle d'un service à l'hôpital Douglas où l'on soigne les boulimiques et les anorexiques, mais la liste d'attente est longue. Je lui demande de faire le nécessaire. Pourquoi ne pas tenter ma chance? Peut-être y trouverai-je chaleur et compréhension, ce qui manque royalement à ce spécialiste…

Trois semaines plus tard, je suis acceptée à l'hôpital Douglas de Verdun en clinique externe. De ce passé, il me reste des phrases, des images, des moments chocs. Et une impression de ma non-existence. J'ai eu probablement trop mal. Ma mémoire est pleine de taches sombres. Verdun, c'est à l'autre bout du monde. Le pavillon des anorexiques et des boulimiques se trouve non loin de l'entrée de l'hôpital. Je m'y rendrai une fois par semaine.

Dernière image de mon passage à Verdun – j'ai interrompu mes visites, cela me dérange trop: je suis assise autour d'une table en compagnie de trois femmes anorexiques et d'une thérapeute. Celle-ci distribue un papier et un crayon à chacune et nous demande de nous dessiner comme nous nous voyons. Sous mon regard et mes doigts, mon corps a pris toute la page.

Chez Philippe, la tension commence à monter. Je suis devenue une épave, je ne fais plus rien à part manger et dormir à longueur de journée. Ce qui devait arriver arrive. Josée est à bout et me met à la porte.

« Tu avais raison, Annick, je fais comme les autres. Je te demande de t'en aller le plus vite possible. »

Tout en gardant mon sang-froid, je téléphone à une amie, Diane, qui accepte de m'héberger pour un temps. Mes bagages sont vite faits. Me voilà repartie à Montréal, cela me fera du bien de changer d'air.

Depuis que j'ai quitté la banque, je n'ai pas cherché de travail. Je m'en sens incapable. Toujours angoissée, à la recherche de mon identité, je traverse les journées les unes après les autres en me disant chaque soir : « Enfin une de passée. » Je traîne dans Montréal, je marche, j'essaie de retrouver le goût de vivre. Pour le moment, j'oublie tous les régimes. Je laisse la nourriture remplir son rôle, celui de calmant, celui de punition, c'est selon. J'ai toujours un bon prétexte pour manger...

Mon père vient de me téléphoner. Il est inquiet, très inquiet.

« Tu n'as plus rien à faire au Québec, pourquoi ne rentres-tu pas en France ?

— Non, si je dois rentrer, ce sera de mon propre chef, quand j'irai bien. »

Pour la première fois de ma vie, je veux m'en sortir seule. La solution ne se trouve pas de l'autre côté de l'Atlantique, mais au fond de moi. Revenir en France serait une erreur. Je ne veux pas rentrer dans mon pays, au contraire. La conversation avec mon père fait resurgir tous mes souvenirs : ce ne sont que des images de violence, d'orgies et de douleur. Je sens la crise arriver. Heureusement, Diane et son ami sont partis pour la fin de semaine. Pas un recoin de placard ne m'échappe. Je vide les pots de confitures, de miel, de beurre d'arachide. Je suis seule au monde avec moi, avec ce corps et ce besoin de me détruire. Je suis de nouveau une adolescente, une petite fille abandonnée. J'ai peur. Je plonge la main dans la boîte de céréales et la vide, poignée par poignée. Pour faire passer le tout, je bois le litre de jus d'orange. Puis j'ai envie de salé. Il n'y a pas grand-chose dans le frigidaire. Un sac de chips fera l'affaire. Puis je cours au dépanneur : je n'ai plus assez de drogue. Jambon, fromage, crème glacée, chocolat, biscuits... Deux heures plus tard, je m'écroule dans mes vomissures. Je n'ai pas eu le temps de me rendre à la salle de bains. Mon corps refuse toute nourriture... Il n'en peut plus et moi non plus. Je vais dormir deux jours.

J'en oublie mon nom, mon désarroi et aussi la perte de maman.

C'est le mois de juillet. Désœuvrée, je pars me promener sur les lieux du festival de jazz. Dans la moiteur de la nuit, j'arpente les rues baignées de musique. Soudain, je me retrouve face à face avec un ancien collègue de la banque, Martin, un gars que j'aime beaucoup, un gars qui me fait rire.

Il me serre très fort dans ses bras, puis me présente son copain Régis. Nous décidons d'aller prendre un café. Il m'écoute lui raconter tous mes déboires et me propose gentiment de venir habiter chez lui. Comme il passe toutes les fins de semaine chez son copain, je serai plus tranquille que chez Diane. J'accepte avec plaisir. Martin, c'est une bouffée d'air pur, d'insouciance et de légèreté.

Nouveau déménagement : ma valise est prête. Après avoir remercié mon amie pour son hospitalité, je m'installe en plein centre-ville. Ça bouge, c'est vivant. Le bruit me fait du bien, la bonne humeur de Martin aussi. Les premiers temps, pour qu'il ne se sente pas envahi – je dors dans le salon –, je pars très tôt le matin et rentre avant la nuit.

Un soir, à 11 heures, Martin attend mon retour, assis tranquillement devant la télévision. Il me regarde arriver en souriant et en me faisant signe de venir m'asseoir près de lui. Puis, très sérieux, il me fait un peu la morale : « Annick, tu ne vas pas partir comme ça tous les jours. Si je t'ai proposé de venir habiter chez moi, c'est parce que ça me fait plaisir. Tu n'as pas besoin de me laisser tout seul. J'aime que tu sois là, ça me fait du bien à moi aussi. »

Ses paroles d'amitié m'aident à reprendre goût à la vie. Je me sens émerger d'un grand trou noir. Je ne fais pas peur à Martin, il m'aime comme je suis. Connaissant mes ennuis, il fait tout pour me distraire. Sur sa moto, nous partons faire de grandes balades, le nez au vent, la peau au soleil. Il ne me juge pas, il m'accepte telle que je suis. Il est là simplement pour me donner le coup de pouce nécessaire. Il est patient, il me tient la main. La vie reprend des couleurs, plutôt pastel, mais c'est un début. L'instinct de survie a fini par l'emporter, encore une fois. J'ai toujours conservé cette flamme en veilleuse tout au fond de moi. Annette l'a rallumée très souvent, les amis l'ont entretenue.

Ce matin, c'est décidé, je cherche du travail. Pour la première fois depuis longtemps, j'accepte de m'exhiber. Trois jours plus tard, je suis embauchée comme serveuse dans un petit restaurant mexicain. Je suis morte de peur, comme quelqu'un qui remonte sur sa bicyclette après une chute. Mais je me dois de foncer, j'ai besoin de travailler. Vêtue d'une blouse et d'une jupe ample, je me sens mal à l'aise. Je suis le centre de tous les regards. J'ai honte de moi, de mon allure. Mais je ne fais pas fuir les clients : c'est bon signe. À la fin du service, Martin vient me chercher en moto avec un bouquet de fleurs... Il est, je crois, aussi fier que moi.

Quelques semaines plus tard, j'apprends qu'un de mes anciens patrons cherche une gérante pour son café. J'accepte, malgré mes peurs, malgré mes kilos en trop, malgré la bouffe. Je viens de gravir une autre marche vers la guérison, mais l'escalier sera long...

Toute ronde, j'évolue dans le restaurant : je grimpe sur les bancs pour écrire les menus sur les ardoises. Je reçois les clients, je débarrasse des tables, bref, je suis tout ce qu'il y a de plus visible. Je souffre terriblement de mon surplus de poids. La chaleur me fatigue, mes cuisses trop grosses s'irritent en frottant l'une contre l'autre à chacun de mes pas. J'ai le nez dans la bouffe et dans les gâteaux. Facile de manger, facile de m'empiffrer. Toujours en secret, le plus souvent assise sur les toilettes ou à la cave.

Ce soir je parlerai à Martin. Ayant enfin un salaire régulier, j'ai décidé de déménager. Après quelques recherches, je pars cohabiter avec une étudiante en droit. Je vais enfin avoir ma chambre. Depuis six mois, je vis au milieu de mes valises, d'un appartement à un autre. Il est temps que je m'arrête.

Deux fois par semaine, je me rends chez Annette. La douceur prend de plus en plus de place, la douleur de la séparation maternelle s'estompe. Je sens qu'il me pousse des ailes, le besoin d'autonomie se fait plus pressant. Puis, malgré les réticences d'Annette, je décide de faire une ultime tentative pour maigrir : Weight Watchers. Expérience traumatisante. La réunion a lieu dans un sous-sol d'église. Toutes sortes de gens s'y trouvent réunis pour une seule et même raison, un seul but : maigrir. Les voir tous si mal dans leur peau me déprime. Avant la réunion, la responsable du groupe pèse les nouvelles venues (je ne me souviens pas d'hommes nouveaux venus). Je suis bien obligée de regarder : je pèse quatre-vingt-deux kilos. Ensuite commence la réunion proprement dite. On applaudit les gens qui ont perdu du poids ! Imaginez comment se sentent ceux et celles qui, comme moi, n'ont rien perdu durant la semaine ! Nous sommes des nuls, des incapables et des bons à rien. Tout pour remonter le moral et l'estime de soi ! Après trois réunions, donc trois semaines, j'abandonne. Non seulement je ne tolère pas les rencontres hebdomadaires, mais le fait d'être obligée de peser toute ma nourriture me met hors de moi. Impossible de manger une banane entière ! Comment se fait-il que le bon Dieu ait fait pousser des bananes entières si je ne peux en manger que la moitié ! Ce régime est très frustrant, car on peut manger de tout, mais juste un peu, juste de quoi se donner envie d'en manger plus. (Il paraît que la méthode Weight Watchers a changé... Tant mieux. Mais ça reste tout de même un régime !)

Une boulimique, ça mange énormément ou ça ne mange pas. Moi, lorsque je porte un morceau de banane à ma bouche, il faut que j'en mange deux, trois ou quatre. Dans mon esprit, cet aliment est interdit, donc il n'est pas bon pour moi, pas plus que la pizza, le fromage ou les desserts... Il y a les aliments régimes et les aliments orgies. La limite est tracée ; si je la dépasse, il m'est impossible de faire marche arrière. Tant qu'à manger, autant me gaver. Le mot nourriture est synonyme de refuge, de punition, d'échec. Le mot régime est synonyme de réussite, de perfection et de maîtrise de soi. Dix-huit ans déjà que je passe de l'un à l'autre.

Je n'imagine pas la fin de ces allers et retours. Annette me permet pourtant d'y voir clair. Elle m'incite à regarder ma vie et mon passé sous un autre éclairage. Je ne rêve plus à l'amour idéal, à la vie idéale. Elle m'aide surtout à couper le cordon ombilical.

Après l'échec de Weight Watchers, je me remets à manger n'importe quoi. Je n'arrive plus à m'habiller. Je viens d'acheter un pantalon bouffant pour camoufler mes rondeurs. Il est noir, bien entendu, et je meurs de chaleur en ce début de printemps. Ce matin, je me lève de mauvaise humeur et déprimée : les magazines affichent les vêtements de printemps, les régimes miracles et ils clament les joies de l'été. Différente du reste du monde, je vais encore passer l'été enfermée dans la noirceur. Je n'en peux plus. De toute façon, elle me sert à quoi, cette vie ? Je ne profite de rien, je ne fais que survivre.

Tout en repassant, j'écoute la radio distraitement. Une petite voix haut perchée attire mon attention. Elle parle de poids santé, de bonne alimentation et de joie de vivre. « Encore des conneries, me dis-je, ça se voit qu'elle ne me connaît pas. C'est facile de croire en tout cela quand on est bien dans sa peau. » Je continue à tendre l'oreille. Son discours est intelligent, son respect de la femme me plaît. Elle dénonce à grands cris tous les magazines avec leurs mannequins anorexiques et leur culte de la minceur. Cette voix est celle de Louise-Lambert Lagacé, une diététiste bien connue. Et si Annette avait raison, si j'avais besoin de réapprendre à manger ? Même si je n'y crois pas, pourquoi ne pas essayer ? Me voilà plongée dans l'annuaire à la recherche du numéro de téléphone. Rien de plus facile. Une heure plus tard, mon rendez-vous est fixé : le 8 juin 1988. Dernière tentative pour m'en sortir. C'est la seule voie que je n'ai pas empruntée. Je ne conçois plus de vivre boulimique. J'ai pris ma décision. Comme un propriétaire décide un jour de vendre sa maison parce qu'elle ne lui convient plus, j'ai décidé aujourd'hui de changer de peau. Et si ça ne marche pas, ma vie s'arrêtera là, un point c'est tout.

J'ai mangé la veille, comme mange une boulimique, jusqu'à en venir près de mourir. Aujourd'hui, la diététiste va sans doute me mettre au régime… L'estomac encore barbouillé par l'orgie alimentaire de la veille, je me cramponne à la poignée accrochée au plafond de l'autobus. Je me tiens debout dans l'allée, à la vue de tous les passagers. Désespérée, j'ai honte, j'aimerais disparaître, me glisser sous une banquette et mourir là. Si j'osais croiser les regards, y verrais-je du dégoût ?

Pour camoufler mon corps, je porte mon pantalon noir bouffant et une chemise rayée glissée à l'intérieur de l'élastique, à la taille. J'ai lu dans un magazine féminin que les grosses paraissent moins grosses si elles soulignent leur taille… Je transpire abondamment, non seulement à cause de ma corpulence et de la chaleur torride de ce jour d'été, mais aussi de la peur du jugement des autres.

Le trajet dure une éternité. J'aurais dû prendre un taxi pour passer inaperçue. Je me promène rarement aussi légèrement vêtue… Au-dessus de 30 °C, m'exhiber est un supplice. Impossible de me cacher sous mon long tricot en coton.

Je suis en avance au rendez-vous, afin d'avoir le temps de fumer deux ou trois cigarettes avant d'entrer. Je m'assois sur le muret de pierre entourant l'immeuble. Aspirer la fumée me détend. Je ne sais pas à quoi m'attendre et crains d'avoir à raconter ma vie. Je me demande bien ce que je suis venue faire ici. Toutes mes bonnes intentions sont sur le point de s'envoler. Et si je me trompais ? Au fond, je ne connais pas cette femme, je l'ai simplement entendue à la radio. Finalement, je me décide à entrer. Au moins, je n'aurai pas fait le trajet pour rien !

Je sonne à sa porte et entre dans la salle d'attente. Assise sur le bout des fesses sur la chaise – quand on est gros, c'est plus facile pour se relever –, je pense à ce que je vais lui dire et surtout, comment je vais le lui dire sans me mettre à pleurer, sans lui révéler mon désespoir et ma détresse. Puis la porte du bureau s'ouvre et une dame apparaît. Une femme menue au sourire franc. Après une vigoureuse poignée de main et un bonjour chaleureux, elle me fait entrer.

« Je vous en prie, asseyez-vous, me dit-elle de sa petite voix. Puis-je connaître la raison de votre consultation ? »

Mon cœur bat à toute vitesse. Je me suis préparée à cette question, mais la réalité est tout autre. Il me faut avouer ma maladie à quelqu'un que je ne connais pas.

« Eh bien, j'ai un problème avec la nourriture. »

J'ai de la difficulté à prononcer les vrais mots, mais je poursuis courageusement : « Cela fait vingt-cinq ans que je suis des régimes de toutes sortes, que j'avale des pilules pour maigrir. À vrai dire… Eh bien… Je suis boulimique, et je n'en peux plus. »

Je tente ensuite de lui résumer ma vie. J'explique comment la bouffe décide de tout, à quel point elle me possède. La dame m'écoute attentivement, prend des notes et me pose quelques questions. Apparemment, elle n'est pas déroutée… Elle a dû en voir d'autres. Je réponds sans gêne, je me sens en sécurité et écoutée. Puis, à la fin, je lui pose LA question : « Pouvez-vous m'aider ? Est-ce que je peux guérir ?

— Oui, je peux vous aider. Ce ne sera pas facile, mais oui, vous pouvez guérir », me répond-elle d'une voix ferme.

Je reformule ma question, peut-être n'a-t-elle pas bien compris : « Êtes-vous certaine qu'on guérit de la boulimie ? »

Je me souviendrai toujours de sa réponse, car ce jour-là, ma vie a pris un autre chemin, celui qui m'a conduite au bonheur de vivre.

« J'en suis certaine à cent pour cent. Je vous garantis qu'on guérit de la boulimie. Si vous faites ce que je vous dis, vous allez guérir. Mais ne comptez pas sur moi pour vous donner un régime ni pour vous faire maigrir. Si vous êtes venue me voir dans ce but, vous vous êtes trompée de personne. »

Elle prononce ces mots avec tant de conviction et de certitude que je ne peux faire autrement que de la croire. Puis elle me demande de n'enlever que mes souliers et de monter sur le pèse-personne. Jusqu'à présent, on m'a toujours fait l'affront de me demander de me déshabiller pour me peser, comme si, à ce stade, l'absence de vêtements pouvait faire une différence ! À moins que les vêtements des grosses pèsent plus lourd ! C'est probablement la quantité de tissus… J'approche des quatre-vingt-trois kilos. Elle ne sourcille même pas. Elle m'explique ensuite comment nous allons procéder. Le premier point important ne concerne absolument pas la nourriture, mais mon attitude. Elle me demande d'enlever le mot « maigrir » de mon vocabulaire – cela me prendra cinq ans avant d'y arriver. « Aimez-vous comme vous êtes, Annick. »

Facile à dire, pas facile à faire, surtout pour une boulimique. Je me bats avec mes démons depuis si longtemps. Et elle souhaite que je les oublie, simplement, comme ça, mine de rien… Au fond, elle sait très bien l'effort que cela exige. Elle sait aussi que je ne suis pas seule dans ce combat. Annette m'accompagne. Mais Annette ou pas, je suis convaincue que cette tentative de guérir sera la dernière. À quoi me sert-il de savoir pourquoi je mange si je continue à me gaver ? Consciente de mon enfer, je veux y mettre fin. Il a assez duré…

Le premier travail de Louise Lambert-Lagacé est de m'apprendre à me nourrir – pour une boulimique, c'est tout un apprentissage ! – et à aimer manger. Beau défi en vérité, autant pour elle que pour moi. Elle m'explique ce que sont les aliments, le rôle que jouent les protéines, la quantité et la sorte d'aliments qu'il me faut consommer tous les jours et à chaque repas. Elle me recommande d'écrire, dans un petit carnet noir qu'elle me fournit, la composition de mes repas quotidiens et aussi tout ce que je grignote. À côté de l'aliment ou du plat, je dois inscrire deux fois la lettre B quand le contenu de mon assiette est beau et bon. Elle me donne des exemples de repas bien équilibrés en insistant pour que je ne mange pas *moins* que les quantités indiquées. En lisant l'ordonnance, je commence à paniquer. Je vais prendre du poids, c'est sûr ! Encore une fois, je vais échouer. Elle me donne rendez-vous la semaine suivante. Je franchis sa porte, à la fois excitée et anxieuse.

Bien que décidée à suivre ses conseils, je ne peux m'empêcher d'avoir peur : comme menu du petit-déjeuner le lendemain matin, elle m'a suggéré un bol de céréales avec du lait, un toast au beurre d'arachide avec une banane – entière ! – et un café. De la folie pure et simple. En période d'anorexie, je n'avale même pas ça dans une journée ! Et puis, je ne mange jamais ce genre d'aliments. Sur le chemin du retour, mes sentiments oscillent entre le plaisir à l'idée que le lendemain je vais avoir droit à un repas royal et la crainte de ne pas être capable de m'arrêter. Dès que je mets à la bouche un aliment non permis – par moi –, la crise se déclenche. Cela signifie que j'ai perdu le contrôle. Je suis alors incapable de m'arrêter.

En descendant de l'autobus, à proximité de la maison, je m'assois sur un banc, à l'ombre, et, comme une écolière à la rentrée des classes, je prépare une liste de commissions. Je me répète inlassablement sa phrase : « Oui, vous pouvez guérir. » Munie de mon petit bout de papier, j'entre à l'épicerie et j'achète, le cœur battant, tous les aliments dont je vais avoir besoin. Pour la première fois depuis presque vingt-cinq ans, je me comporte « normalement ». Je fais un « vrai » marché ! Des légumes, des fruits, des pâtes, du fromage, du beurre d'arachide, etc.

Le lendemain matin, la journée commence sous le signe de la nouveauté : mon petit-déjeuner est fabuleux ! Mais je pars au travail avec appréhension. Je vais vivre ma première journée au milieu des gâteaux et des croissants sans y toucher. « Si vous vous faites plaisir en mangeant, vous n'éprouverez pas le besoin de vous gaver », m'a dit la diététiste. Comme une alcoolique, je traverse cette journée-là une heure à la fois. À midi, je mange une quiche lorraine, une salade et du pain. Le bonheur de manger comme les autres me remplit. Il faut croire que ce plaisir me coupe l'appétit ! Toujours est-il que la journée s'achève miraculeusement, comme elle a commencé, dans la « normalité ». Dire que la première semaine a été facile serait faux. Mais il reste que je n'ai sincèrement pas souffert du manque de desserts. J'ai par contre augmenté ma quantité de cigarettes et de café. Je suis de meilleure humeur et moins fatiguée. Et je maigris ! Je ne peux m'empêcher de le constater. J'inscris scrupuleusement dans le petit carnet tout ce que je mange.

Le jour de mon deuxième rendez-vous avec Louise Lambert-Lagacé arrive très vite. J'ai hâte. Honnêtement, ce que je veux savoir, c'est combien de kilos j'ai perdus. Deux kilos et demi la première semaine. Un vrai miracle ! Je n'en crois pas mes yeux.

J'ai maigri en mangeant et en vivant normalement. Par ailleurs, ce sera la première et la dernière fois que la diététiste me dira mon poids. Elle sait que l'idée de maigrir est une obsession pour moi. Nous concluons une entente : ne plus parler de kilos ou de poids. (Depuis ce temps, j'ai banni le pèse-personne de mon existence.) À chaque rendez-vous, elle vérifie mon poids et le note dans ses dossiers. Elle dit simplement : « C'est bien. » Ensuite, nous parlons de la manière dont je me suis comportée au moment des repas et entre eux, de mes réactions, de mes attitudes et de mes difficultés. Elle sent que je veux m'en sortir. Nous nous faisons confiance et, pour la première fois en trente ans, je me fais confiance. Un début de douceur. C'est peut-être le sentiment le plus fort qui subsiste de ce temps-là. Je commence à prendre soin de moi, à me juger moins sévèrement. J'apprends à ne plus me punir, à m'aimer imparfaite.

Mais d'où vient cette rigidité, cette intolérance envers l'imperfection ? De mon éducation, de mes modèles familiaux ? Un peu des deux. Tous les membres de ma famille ont brillamment réussi, que ce soit en tant que journaliste, dentiste ou expert-comptable. Je n'étais pas à la hauteur... Aujourd'hui, je me pose sincèrement la question : « Le cours de ma vie aurait-il été différent si j'avais été élevée avec d'autres valeurs ? Il aurait peut-être été pire. Au moins, mes parents m'avaient malgré moi inculqué des valeurs morales, le sens de l'effort et la ténacité. Ce n'est pas rien. Cela m'a permis de tenir la barre, de ne pas me noyer dans les eaux profondes où je me suis avancée. Ma fragilité psychologique m'a entraînée vers la boulimie, comme d'autres dans la même situation sont entraînés vers la drogue ou l'alcool. Chacun ses béquilles. Je ne nie pas le rôle du milieu familial, je tiens simplement à reconnaître « mon » rôle dans la maladie.

Et dans ma guérison aussi... Car je commence à croire que l'on peut en effet guérir de la boulimie. Mais j'ai bien des difficultés à oublier le mot « maigrir ». Depuis mes quinze ans, la boulimie a décidé de ma vie, de mes sorties, de mes loisirs, de mes études, de mon travail. Désormais, chaque semaine, ma diététiste me demande de rayer ce mot de mon vocabulaire. Je me sens fragile mais je l'écoute. Au fond, je ne sais pas pourquoi j'y crois autant. Probablement parce qu'elle y croit elle-même et qu'elle doit savoir de quoi elle parle... Une seule chose compte pour moi : guérir. Annette avait bien préparé le terrain.

Puis Louise Lambert-Lagacé me parle de respiration et de mouvement : « Vous savez, Annick, un corps se nourrit aussi d'oxygène. Même si vous n'avez pas le temps d'aller marcher quinze minutes, ouvrez votre porte et respirez l'air pur. »

Cela me semble un peu ridicule, mais pourquoi pas ? Je décide alors de me rendre au travail à pied. Je me sens en effet beaucoup mieux. Je porte toujours des vêtements amples et foncés. Je n'aime pas cette saison où les corps se déshabillent, où les formes s'exposent. Je souffre deux fois plus de la chaleur... et de frustrations. Mais cette année, comme devoir, je dois m'acheter un vêtement d'été. La diététiste me suggère tout d'abord d'acheter un short. Pour le maillot, on verra plus tard. Terrorisée, j'entre dans une boutique, je choisis un modèle de short. La vendeuse ne me fait aucun commentaire, elle me regarde et me donne ma taille. Ma foi, ce n'est pas trop mal. J'ai perdu du poids durant le dernier mois, cela m'encourage. Je me regarde avec le plus d'indulgence possible. Pas facile ! Je ne suis pas à l'aise, mais quelle liberté j'entrevois déjà !

Cet été est l'un des grands moments de ma guérison. J'expose mes jambes au soleil, et personne n'a l'air de me trouver anormale ou hideuse. Je flotte littéralement de bonheur. Louise est fière de moi. Et moi donc !

Un autre changement très significatif survient : je décide de déménager et de vivre seule. Cela peut paraître banal, mais pour la première fois de ma vie, je vais tenter d'apprivoiser la solitude, sans personne pour me tenir la main, sans nourriture pour combler mon vide. Depuis que je me suis séparée de Jean, je n'ai plus rien : ni meubles ni télévision, rien. Tant pis, je vivrai dans le dénuement et je m'installerai petit à petit. Face à ce défi, pas de panique, juste de l'excitation. Je préviens tous mes amis, qui m'aideront à transporter le peu que j'ai. En riant, ils me parlent aujourd'hui des caisses et des caisses de livres qui composaient la majorité de mes biens! J'ai trouvé un logement non loin d'où j'habite en ce moment. Je l'ai choisi à cause du balcon et de l'arbre qui s'y penche: un bout de campagne en ville. Un autre de mes rêves. Un jour, j'aurai une maison en pleine campagne... J'aime le Plateau Mont-Royal. À l'époque, c'était un petit village. Je m'y sens chez moi. Dans cet appartement va naître une nouvelle femme... Mais ce n'est pas encore gagné.

Le soir du déménagement, assise au milieu de mes cartons, je me sens étrangement bien: aucune terreur, aucun besoin de manger. C'est bon signe. De toute façon, depuis maintenant trois mois, je n'ai plus eu une seule crise de boulimie. Depuis que la diététiste m'a demandé de manger avec plaisir... Le calme s'est installé dans ma vie, le vrai calme. Celui qui rime avec douceur, bonheur, confiance dans la vie. J'ai retrouvé l'immense joie de dîner avec des amis, de manger comme eux, de ne plus me mettre au régime le lundi matin. Je participe enfin aux sorties à bicyclette, à la cueillette des fraises et surtout, à la douceur de savourer une énorme glace à la fin d'une journée torride, assise à la terrasse de la crémerie, au coin de ma rue. Ce bonheur est incroyable, il représente ma plus grande victoire: je suis capable de manger une glace, une seule. Pas deux, trois ou encore plus. Non, simplement une. Comme tout le monde. J'attendais ce moment depuis vingt ans: les portes de ma prison se sont enfin ouvertes.

Côté travail, je suis insatisfaite. Je souhaite en changer, mais que faire? Au fond, je ne suis pas encore prête à réorganiser ma vie professionnelle. Mes démons ne se sont pas suffisamment éloignés. Je n'ai pas assez d'énergie pour me battre sur tous les fronts. En revanche, je décide de me débarrasser d'une dépendance: la cigarette. Et de m'inscrire à un centre sportif pour avoir mon poids à l'œil! Puisque je suis en train de me débarrasser de ma dépendance à la nourriture, pourquoi ne pas tenter d'en faire autant avec le tabac?

Louise ne me dissuade pas, mais je sens qu'elle n'approuve pas mon choix. Étant d'un naturel très têtu – cela m'a bien servi! – je me fixe la date du 1er janvier pour commencer cette nouvelle vie. Très consciencieuse et déterminée, au jour dit, j'arrête de fumer. Les premiers jours ne sont pas si terribles, mais je me rends compte que ma nervosité grandit. Je me défonce au centre sportif, je travaille sur mon corps avec acharnement ! Je m'y rends à 6 h 30 pour rencontrer le moins de gens possible. On va dans ce genre d'endroit pour devenir mince et musclé, deux conditions essentielles à la beauté. Sans m'en rendre compte, je suis en train de défaire tout le travail de Louise Lambert-Lagacé, car s'immiscent de nouveau dans mon esprit les mots régime, punition, minceur. Mon attitude face à l'exercice est malsaine : je ne bouge pas par plaisir, mais pour perdre du poids ou pour ne pas en prendre, ce qui est exactement la même chose. Et l'envie de manger refait surface.

Nous sommes dimanche, il est 8 heures du matin. Je me lève précipitamment et pars m'acheter du chocolat et un paquet de cigarettes. Je panique complètement : ça y est, ça recommence. Je pose le chocolat devant moi. Mais plutôt que d'y voir un plaisir, je ne vois que le mot « danger ». Cet aliment reprend une signification négative. Ma drogue est là, à portée de la main, et je souffre. Que m'arrive-t-il ? En perte de contrôle, je téléphone en larmes à mon amie Céline. J'ai peur de retomber dans la bouffe. La rechute est proche… Je ne suis pas assez solide pour arrêter de fumer. Elle comprend très vite mon désarroi et me dit : « Viens tout de suite à la maison. » Au volant de ma voiture vers la Rive-Sud, je conduis dans un état second, en proie à une terrible angoisse et à la peur de l'échec.

Dès le pas de la porte franchi, je me précipite dans ses bras. Cela me fait du bien, momentanément. Puis je tente de lui expliquer d'une voix remplie de sanglots la raison de mon affolement. Céline me dit simplement : « Donne-moi ton paquet de cigarettes. »

Elle l'ouvre et place une cigarette dans ma bouche.

« Maintenant, fume », dit-elle fermement. Elle a compris que je suis en danger, qu'Annick la boulimique est assise en face d'elle et qu'elle a peur. En aspirant la fumée, je sens le calme revenir. Mais pas entièrement. À mon trouble vis-à-vis de la nourriture se rajoute mon malaise face à mon travail. Depuis que Céline et son mari André me connaissent, ils m'entendent rouspéter contre mon travail. Et pour la millième fois, je prononce la même litanie mais peut-être avec plus de violence : « J'en ai assez de vendre des steaks et des Bloody Cesar. J'en ai marre, je ne suis plus capable. » Je pleure à gros sanglots, incapable de m'arrêter.

Céline ne peut s'empêcher de me remettre à ma place. « Annick, je te connais depuis dix ans, et depuis dix ans tu es malheureuse, car tu n'aimes pas ce métier de serveuse. Quand vas-tu te décider à bouger ? » me dit-elle avec fermeté.

Je me sens bousculée, mais elle a raison. Il est temps que j'arrête de me plaindre. Je ne la remercierai jamais assez de son aide. Sa profession de psychologue l'a certainement aidée à mieux me comprendre.

Ce dimanche-là, Céline me fait faire plusieurs pas vers ma guérison. Je retourne chez moi, bien décidée à chercher les moyens de modifier mon parcours professionnel. J'en fais part à Louise à mon rendez-vous hebdomadaire. Elle est emballée et me répond : « Vous savez, Annick, le jour où vous nourrirez votre esprit, vous en oublierez de manger. Ce jour-là, vous allez me téléphoner, inquiète, car vous n'aurez plus faim et vous continuerez à maigrir ! »

Je ne suis alors pas encore prête à la croire, mais cela se produira quelques années plus tard…

•

Aujourd'hui, Annette va sortir de ma vie. Une autre dépendance à briser, en quelque sorte. Mais je m'y suis préparée. Nos rencontres s'espaçaient depuis quelques mois. Maintenant, j'ai envie de poursuivre mon chemin avec la seule aide de Louise. Je ne prends pas cette décision à la légère, et Annette laisse sa porte ouverte. Je peux revenir la consulter, je demeure une de ses patientes. Elle est heureuse de me voir prendre mon envol, même si mes ailes sont encore un peu froissées. Je poursuis ma route courageusement. Je fonce tête baissée. Et je me débarrasse petit à petit de mes béquilles. Je me sens prête à quitter Annette, mais j'ai de la peine, beaucoup de peine. Cette fois-ci, c'est moi qui coupe le cordon : belle victoire. Cela ne m'empêche pas d'être triste. Un grand attachement me lie à Annette. Je lui dois ma vie, je lui dois ce que je suis devenue. Elle m'a mise sur le chemin de Louise, qui a pris le relais. C'est moi qui vais finir la course, seule. Avant ma victoire finale, il me restera encore une femme à rencontrer, celle qui me passera le dernier bâton…

Nos adieux sont émouvants. Puis la porte de son cabinet se referme derrière moi. Les larmes m'empêchent de marcher. Je m'assois sur un banc et j'attends quelques instants. Plutôt que de prendre l'autobus, je décide de me rendre à la station de métro à pied. Je passe devant l'épicerie où je me suis si souvent procuré ma drogue. Mes larmes ont séché : personne, vraiment personne au monde ne peut comprendre le bonheur que j'ai vécu cette journée-là. Je ne suis pas entrée acheter de la nourriture, malgré ma tristesse, malgré cette nouvelle séparation. Et je me suis mise à sourire, puis à crier de joie. J'ai l'air d'une folle lâchée dans la rue. Je crois que j'ai gagné… Ça doit être ça, guérir. Ne pas pousser la porte de l'épicerie quand on est triste, ne pas ouvrir la porte du frigidaire quand on se sent nulle, ne plus se gaver pour se punir, ne plus vomir ce que l'on est…

●

Je viens d'avoir quarante ans, mais je n'ai guère le temps d'avoir peur de la quarantaine. Ma peur est plus concrète : je retourne sur les bancs de l'université en relations publiques. Depuis un an, j'ai entrepris toutes les démarches, notamment en France, pour obtenir des photocopies de mes diplômes. Un peu plus de vingt ans… Il y a de quoi angoisser ! Je travaillerai le jour dans un restaurant et j'étudierai le soir. La veille de mon premier cours, mes amis Céline et André sont assis chez moi, dans mon salon. Je pleure, j'ai la trouille. « J'ai peur d'échouer, je ne suis pas bonne. Je n'y arriverai pas. » Très curieusement, je prends toujours les grandes décisions de ma vie sans trop réfléchir, par instinct. La peur ne vient qu'après… Céline et André me rassurent. Ils ont confiance en moi. Ils sont sûrs de mes capacités. Louise me dira plus tard : « Le jour où vous m'avez annoncé votre inscription à l'université, j'ai su que vous alliez gagner, non seulement dans vos études mais contre la boulimie. »

À partir de là, la nourriture va tenir le second rang. Mes visites chez Louise s'espacent : une fois par mois. Elle me suit cependant pas à pas. Je ne suis pas encore guérie.

La stimulation et l'excitation d'apprendre occupent entièrement mes pensées. J'ai le sentiment de rattraper le temps perdu – est-ce vraiment du temps perdu ? Je mets dans mes études beaucoup plus d'énergie et de sérieux qu'à vingt ans. Mes motivations et mes besoins me poussent en avant. Puis, je ne sais pas faire les choses à moitié. Je termine le premier trimestre avec de très bonnes notes. La confiance en moi, longtemps disparue, refait surface.

Dans ma bataille contre la boulimie, je progresse toujours, doucement mais sans perdre de vue mes nouvelles habitudes. Je me sens comblée, tant sur le plan émotif que sur le plan intellectuel. Mes amis sont très présents et assistent, heureux, à mes succès. Je ne pense plus qu'à mon avenir professionnel. Je passe mes moments de liberté à marcher, à bouger.

Le chemin de la guérison est long. Parfois il me semble que je fais du surplace, parfois je reviens en arrière. Pas dans ma manière de m'alimenter – cela m'arrivera bien plus tard, en 1992, dans des circonstances bien précises –, mais dans ma façon de me regarder, de m'aimer et de penser. Louise veille au grain… Nous orientons les consultations sur mes intérêts, sur la grande solitude dans laquelle je vis et que j'ai choisie, sur la lecture. Ses ordonnances sont couvertes de titres de livres qu'elle a beaucoup aimés ! J'ai conservé toutes ces pages. Il m'arrive encore de les relire en souriant.

•

Je viens de terminer l'année universitaire avec succès. Mais, selon un de mes professeurs, j'ai un gros handicap : je ne parle pas anglais. Qu'à cela ne tienne. Je décide d'aller travailler à Vancouver quatre mois comme serveuse. Avant de partir, je prends rendez-vous avec Louise. Je me sens craintive. Pour la première fois en quatre ans, je vais être isolée : loin de mes amis et de ma diététiste, en dehors de mon cadre de vie. J'ai vraiment la trouille. Louise le sent : « Annick, n'hésitez jamais à me téléphoner si vous avez besoin de moi. Micheline, mon associée, va à Vancouver cet été. Elle vous appellera. » Cette disponibilité incroyable – la même qu'Annette – me rassure.

Vancouver, ville de bord de mer, ville de la côte Ouest, mais ville froide malgré tout. L'intégration est difficile, il m'aurait fallu plus de temps… Pour atténuer un peu ma solitude, je travaille beaucoup. Trop. Et trop près de la nourriture. Je suis déstabilisée, mes rendez-vous avec Louise me manquent, mes amis et mon chez-moi aussi. Insidieusement, les aliments reprennent un peu trop de place. Le vin aussi. En sortant du restaurant, tard le soir, je fais une halte au magasin d'à côté qui vend toutes sortes de chocolats tous plus sucrés les uns que les autres, et je mange sur le chemin du retour. Je constate que mon comportement change. Je mange par compulsion. Ce soir-là, je reprends ma vieille habitude de fouiller dans les placards… Au matin, affolée, je téléphone à Louise, en larmes. Nous parlons longuement. Elle m'explique qu'elle s'y attendait un peu. Mon isolement affectif me déséquilibre. Et puis je loge dans une chambre minuscule, alors que mon besoin d'espace vital se fait de plus en plus grand. Elle me rassure en m'annonçant que son associée sera à Vancouver dans quelques jours. Je ne me maîtrise pas, mais cela n'a rien à voir avec les crises du passé. Je ne m'empiffre pas au point d'éclater, je mange simplement beaucoup de sucreries et à n'importe quelle heure. Depuis le premier rendez-vous avec Louise, il y a quatre ans, je n'ai plus revécu une seule orgie alimentaire, une vraie… Le téléphone sonne ; c'est l'associée de Louise. Elle me tend une perche. Nous parlons longuement au téléphone, je reprends confiance quand elle me dit que tout est normal, que ce n'est même pas une rechute mais un petit déséquilibre. Au contraire, elle me félicite pour tous mes

efforts et pour le chemin parcouru : « Vous avez gagné, Annick ! »
Je suis sauvée. Le lendemain, le soleil brille de nouveau sur Vancouver, les démons ont pris la fuite devant mon acharnement.

Je déteste de plus en plus le travail au restaurant, il est temps que la saison finisse. La date de mon retour à Montréal approche. Celle du retour à l'université aussi… Je reviens avec quelques kilos en plus, et l'idée de maigrir refait surface. Je n'ai pas complètement lâché prise : je demande carrément à Louise de me donner un régime. Je lui parle du régime Montignac qui, à ce moment-là, fait fureur.

Elle me regarde droit dans les yeux et me dit clairement : « Si c'est vraiment ça que vous voulez, Annick, allez voir quelqu'un d'autre. Vous savez très bien que ce j'en pense. »

Ce bref sursaut du passé n'a pas duré longtemps. Je fais trop confiance au travail de Louise. À partir de ce jour-là, je n'ai plus jamais parlé de régime. La vie reprend son cours : études et travail. La nourriture, qui avait encore essayé de me posséder, a repris sa place, la vraie, celle du plaisir.

•

Ça y est, j'ai terminé mon certificat de relations publiques. Je suis fière et en même temps déçue. Déçue, car je me rends compte que je me suis trompée de branche professionnelle. J'ai envie de revenir à mes premières amours, la littérature et l'écriture. Plus rien ne m'arrête : je m'inscris à un certificat en rédaction.

Côté nourriture, tout va bien. Je n'ai pas revu Louise depuis un an, en juin, date anniversaire de notre première rencontre, il y a déjà sept ans. Cette fois-ci, j'ai pris rendez-vous avec elle pour lui parler de mon désir d'arrêter de fumer. Je m'en sens capable. Impossible de dire pourquoi. J'éprouve simplement un besoin de liberté totale. Je ne veux plus aucune dépendance quelle qu'elle soit. (Mais je cultiverai celle, ô combien bénéfique, de la course à pied avant même le lever du soleil, le nez dans les étoiles !)

Je suis heureuse à l'idée de revoir Louise. Une intimité s'est installée doucement entre nous. Normal, après ce long chemin parcouru côte à côte. Elle me regarde ravie et me dit avec un grand sourire : « Vous êtes splendide ! »

J'accepte le compliment avec plaisir. Nous parlons de choses et d'autres et notamment de travail. Elle me sent solide et confiante. Finalement, j'aborde le problème de la cigarette. Elle me donne son accord ; elle a pleinement confiance en moi. Une semaine après, j'arrête de fumer ; et un an plus tard, lorsque je revois Louise, elle n'en revient tout simplement pas : j'ai gagné ma bataille contre la cigarette et, en plus, j'ai perdu du poids ! Décidément, je ne fais rien comme les autres. Cette victoire, je la vois un peu comme un certificat de garantie : je suis définitivement guérie de ma boulimie.

Épilogue
Octobre 2001

Treize ans se sont écoulés depuis ma première rencontre avec Louise et six ans depuis ma dernière cigarette : un bilan positif sur tous les plans.

Manger est un vrai plaisir, les repas entre amis sont des fêtes gourmandes. Et puis je pratique l'un des plus beaux métiers du monde : je joue avec les mots, ceux des autres... Je suis réviseure, passionnée et amoureuse de mon travail.

Et comme si mon bonheur n'était pas encore assez grand, l'amour m'a donné rendez-vous un matin de février, il y a un peu plus d'un an. L'homme marié que j'ai mis à la porte il y a trente ans est venu me rechercher. Par un glacial matin d'hiver, j'ai trouvé une lettre de Patrick, mon premier grand amour, dans ma boîte aux lettres. Il a retrouvé ma trace grâce au réseau Internet. Une correspondance a suivi pendant six mois, puis il est venu me voir dans ma maison à Mille-Isles, où je vis en pleine campagne avec mes chats et mon chien Flox, mon fidèle compagnon. Avec Patrick, je redécouvre ma jeunesse perdue, des élans de tendresse infinie. Ensemble nous rions, ensemble nous rattrapons le temps perdu. Le quotidien a pris des couleurs de printemps perpétuel. Notre bonheur est simple, il est fait de silences, de joies, de complicité et de... gastronomie !

Pendant toutes ces années, Patrick ne m'avait jamais oubliée. Moi, j'étais trop occupée à effacer le visage d'une femme... Je peux maintenant penser à elle sans douleur, sans tristesse. Je me dis parfois qu'elle est morte trop tôt, qu'elle est peut-être partie pour moi. Savait-elle que seule sa mort me permettrait de voir le jour? Et d'aimer? Merci, maman.

Le point de vue de la diététiste

par Louise Lambert-Lagacé

Et si je résumais comment ça s'est passé...

J'ai vu Annick à 44 reprises à ma clinique de nutrition sur une période de 10 ans. Je lui rends hommage, car elle a retrouvé un équilibre alimentaire et une belle santé. Elle n'a pas eu la tâche facile. Elle a lutté et persévéré dans sa démarche. Et elle a gagné. Bravo !

Tout a commencé le 8 juin 1988 et une chimie s'est dès lors établie entre nous. Ce que je lui proposais pouvait la protéger contre ses rages et lui donner un peu plus de contrôle. Elle avait besoin de s'accrocher à une bouée et cette bouée-là lui a redonné un peu d'espoir. Elle a admis que ça pouvait l'aider.

Je n'ai jamais eu de baguette magique. C'est Annick elle-même qui, avec les outils que je lui ai offerts, a entrepris des changements puis a lentement retrouvé les plaisirs de la vie.

Je me souviens de la première question qu'elle m'a posée : « Est-ce qu'on peut guérir de ça ? » J'avais répondu oui sans hésitation. Je n'avais aucune idée du temps requis pour sa guérison, mais je savais qu'elle pouvait s'en sortir. Ce processus s'est avéré être une longue route mais elle a atteint un nouvel équilibre.

Quelques années après la guérison d'Annick et l'atteinte d'un poids santé, une journaliste du magazine *Châtelaine* m'a demandé : « Avez-vous des patients qui ont perdu du poids et qui ont réussi à maintenir leur nouveau poids ? » Je l'ai dirigée vers Annick qui a accepté de partager son expérience. Son témoignage a eu un effet incroyable sur des femmes vivant des problèmes semblables. Parler à cœur ouvert exige du courage et de la générosité. Annick a fait preuve des deux. Elle a livré ses obsessions passées avec une belle transparence. Son livre constitue en quelque sorte la suite de ce premier témoignage. Puisse-t-il aider d'autres femmes à mieux se comprendre et à voir la lumière au bout du tunnel.

Qu'est-ce que la boulimie ?

La boulimie est une maladie de l'âme qui exprime un inconfort profond. Elle se manifeste par une prise excessive d'aliments à certains moments, suivie de purges pour se débarrasser des excès alimentaires. Les moyens utilisés vont des vomissements à la prise de diurétiques ou de laxatifs, et à la pratique exagérée du sport.

La boulimie est un trouble du comportement alimentaire tout comme l'anorexie nerveuse et l'alimentation compulsive. La personne qui souffre de boulimie est incapable de résister à la nourriture, alors que l'anorexique y résiste avec un entêtement maladif. La boulimique rêve d'avoir le contrôle de l'anorexique, sans jamais y arriver. Elle vit échec après échec et se purge pour tenter d'effacer ses écarts. La mangeuse compulsive avale pour sa part des quantités excessives d'aliments à certains moments, mais ne se purge pas.

La boulimie se manifeste habituellement à la puberté et frappe principalement les jeunes femmes ; les 15 à 34 ans constituent à elles seules 90 % des personnes affligées de troubles alimentaires. Jusqu'à 4 % des femmes de moins de 20 ans souffrent de boulimie, cela signifie environ 50 000 femmes au Québec. Ces femmes souffrent en silence, ne partagent leur tourment avec personne. Elles s'organisent pour manger seules la plupart du temps, fuient les activités sociales, planifient soigneusement leurs orgies et leurs purges subséquentes. Elles maintiennent un poids normal ou légèrement au-dessus de la normale, ce qui leur permet de conserver leur secret pendant des années. Elles utilisent les grands moyens pour se débarrasser des aliments consommés . Elles deviennent obsédées par leur poids et entretiennent l'illusion que maigrir leur procurera le bonheur.

En réalité, la boulimie n'est pas un problème de poids mais un signe de détresse. Les aliments neutralisent temporairement cette détresse, comblent le gouffre de peine, de chagrin ou de frustrations, et finissent par gérer toutes les émotions. « Je mangeais par appréhension d'un inconfort, pour contrecarrer une sensation désagréable », me révélait récemment une patiente. Manger devient la façon de réagir aux contrariétés de la vie. Plusieurs personnes souffrant de boulimie vibrent intensément à ce qui les entoure. Elles sont des perfectionnistes et parviennent mal à accepter les demi-mesures. Elles digèrent silencieusement leurs frustrations, les étouffent en avalant des montagnes d'aliments, mais n'y trouvent pas le soulagement recherché. Elles vivent entre les pertes de contrôle et les remords, les remises en question et les bonnes résolutions. C'est l'enfer. C'est ce qui explique leurs fréquentes sautes d'humeur, l'anxiété, la dépression, et bien d'autres problèmes.

Qu'est-ce qui provoque la boulimie ?

Plusieurs facteurs jouent dans le développement de la boulimie, mais ce qui entoure l'image corporelle et l'estime de soi demeure la pierre angulaire de ce trouble de l'alimentation. Loin d'être statique, l'image corporelle se développe en fonction des réactions du milieu dès le plus jeune âge. Elle devient une source de satisfaction ou d'insatisfaction, un état de grâce ou de cauchemar, et elle agit sur l'estime de soi. Parmi les facteurs qui agissent négativement sur l'estime de soi se trouvent les diktats de la beauté qui inondent les médias, les magazines, contaminent les attentes masculines et suscitent une multiplication de diètes miracles. Dans notre société, les diktats ne proposent qu'un modèle de beauté associé à une minceur qui ne correspond même pas à la réalité de la majorité des femmes. Sans s'en rendre compte, la femme vulnérable se sent dévalorisée. Elle confond l'être et le paraître. Elle souhaite devenir ce qu'elle n'est pas et tombe dans le panneau du « Je ne pèse pas exactement ce que je voudrais peser ». Elle oublie d'autres aspects de son malaise et ne se concentre que sur son poids.

En recherchant la minceur, plusieurs jeunes femmes se lancent dans des régimes qui n'ont aucun sens ; elles vont même jusqu'à jeûner quelques jours, ce qui provoque dans plus de 50 % des cas la première crise de boulimie. C'est compréhensible, puisqu'une coupure importante d'aliments entraîne automatiquement une faim de loup qui se transforme en rage. Qu'il s'agisse de jeûner quelques jours, de sauter des repas ou de faire une diète sévère, les boulimiques finissent toujours par se dire : « Je n'en peux plus, je dois manger. » Elles ressentent alors une faim incontrôlable qui les mène vers une consommation illimitée d'aliments.

Les émotions négatives ne sont pas les seules responsables de la consommation illimitée. Le corps lui-même a de fortes réactions lorsqu'il ne reçoit pas assez d'aliments au bon moment. Il compense par une faim sans fin. Mais cette réaction physiologique normale est souvent mal interprétée par la personne vulnérable : la faim incontrôlable devient synonyme d'un manque de volonté, ce qui mine son estime d'elle-même et suscite d'autres épisodes d'excès alimentaires. D'une rage à un jeûne, le cercle vicieux s'impose. La personne n'en sort plus. C'est ainsi que les mauvaises stratégies pour perdre du poids multiplient les troubles de comportement alimentaire, les lendemains déprimants et les complications qui s'ensuivent.

L'industrie de la minceur

L'Amérique est l'endroit du monde qui propose le plus grand nombre de diètes amaigrissantes, tout comme le plus grand nombre d'aliments faibles en gras et en sucre. C'est aussi l'endroit du monde où il se trouve le plus grand nombre de personnes atteintes d'obésité. Il y a 50 ans, les diètes étaient moins nombreuses, et les personnes souffrant d'obésité aussi. Les méfaits métaboliques des diètes miracles n'étaient pas connus. Aujourd'hui ils le sont. Un jour, l'industrie de la minceur subira un procès, tout comme l'industrie du tabac, car elle contribue à aggraver les problèmes de poids. Cette industrie a donné naissance à plusieurs notions négatives : aliments interdits, tricheries, péchés alimentaires... Elle n'améliore pas la relation avec la nourriture et l'estime de soi, bien au contraire.

Choisir de bien manger ne signifie pas adhérer à une nouvelle religion. Un menu constitué d'aliments sains vise un mieux-être, mais n'interdit pas la consommation d'aliments moins sains, plus sucrés ou plus riches, qui sont des plaisirs et non des tricheries. Selon moi, les diètes élaborées autour d'un simple calcul de calories n'aident personne. Un menu conçu autour de soustractions ne donne rien ; il déprime et ne fonctionne qu'à très court terme. Le corps perd rapidement eau et muscle, mais il ne perd pas au même rythme ses réserves de gras. Depuis que l'homme est sur terre, il est programmé pour survivre à des famines. Or, les diètes plongent le corps dans des semi-famines. Elles réveillent invariablement un mécanisme interne qui ralentit le métabolisme et réduit la combustion des calories. Dès que le menu se normalise, un mécanisme d'entreposage se met en branle et accumule les réserves de gras pour faire face à la prochaine famine. C'est une question de survie. La reprise de poids après une diète sévère est normale et prévisible puisque le corps se prépare à la prochaine famine, la prochaine diète. C'est ce qu'on appelle le phénomène du yo-yo, phénomène physiologique qui n'a rien à voir avec la volonté de la personne. Les reprises les plus importantes s'observent après des diètes horriblement sévères, loin des trois repas par jour et des vrais aliments.

L'industrie de la minceur empoche 40 milliards de dollars par année, malgré un taux d'échec retentissant. Elle perpétue la quête d'une illusion, impose des règles strictes et met toutes les personnes dans le même panier, qu'elles aient 20 ans ou 60 ans. Elle sous-entend l'existence d'un seul format acceptable, moulé sur le jeune modèle américain. Le message est si insidieux qu'il ébranle même les personnes de poids normal. Huit femmes sur dix se disent insatisfaites de leur corps, de 50 à 60 % des jeunes filles sont continuellement à la diète, et 40 % des femmes adultes le sont également. Le taux d'insatisfaction quant à l'image corporelle n'a jamais été aussi important. Mais le côté plus sombre de l'histoire est que 95 % des personnes qui suivent des diètes reprennent tout le poids perdu, et souvent plus, dans les cinq années qui suivent. Je refuse d'être complice d'une telle situation. Je préfère aider les gens à réapprendre à manger, leur faire connaître de nouveaux aliments, les motiver, leur donner des trucs qui les aideront à améliorer leurs habitudes de vie (ce qui n'empêche pas de perdre du poids). J'aimerais voir l'obsession de la minceur s'évaporer comme un nuage d'été.

Les méfaits des diètes

« Mettons les régimes à la poubelle », soulignait récemment l'Association québécoise d'aide aux personnes souffrant d'anorexie nerveuse et de boulimie (ANEB). Mais l'affaire n'est pas encore dans le sac...

Il y a quelques années, le Québec a vécu ce que j'appellerais une brève trêve face aux diètes. J'y ai contribué en 1988 avec *Le Défi alimentaire de la femme*, alors que la psychologue Danielle Bourque a combattu avec férocité l'obsession de la minceur dans son livre *À 10 kg du bonheur* en 1989. L'esclavage du pèse-personne a été remis en question. La panique autour du poids s'est estompée. Puis Montignac a traversé l'Atlantique et remis l'obsession du poids à l'ordre du jour. Sous des allures de discours santé et de guerre au sucre, son approche a créé plus de confusion que toutes les autres diètes. Les Québécois et les Québécoises confrontés à de nouvelles interdictions – défense de manger des carottes cuites, du pain avec du fromage, du riz avec du poisson, un fruit au dessert... – ont perdu le sens d'une alimentation équilibrée.

Il est vrai qu'un faible index glycémique peut avoir un effet bénéfique sur l'insuline et sur les lipides sanguins, ainsi que diminuer les risques de maladies cardiovasculaires. Mais il est faux de prétendre qu'il faille éviter le féculent au repas ou le fruit au dessert pour respecter ce principe. Les chercheurs de l'Université de Toronto, ceux-là même qui ont élaboré le concept de l'index glycémique, et ceux de l'Université de Sydney en Australie, qui l'ont utilisé auprès de divers groupes d'individus, seraient fort étonnés s'ils consultaient les livres de Montignac. Les menus à faible index glycémique conçus par ces chercheurs incluent en effet des féculents et des fruits à chaque repas. Cela étant dit, si le fait de suivre la diète de Montignac a permis à certaines personnes de consommer plus de pain intégral ou de grains entiers, de couper le sucre et de manger plus de légumes, bravo ! Mais là ne s'arrête pas l'effet d'une telle diète.

C'est Annick qui m'a *initiée* à Montignac en me tendant un de ses livres. Elle me l'a donné parce qu'elle en avait peur. Sa sœur le lui avait recommandé et elle y avait jeté un coup d'œil, mais elle craignait en le suivant de faire quelque chose qui nuise à l'approche qu'elle connaissait déjà et avec laquelle elle se sentait en confiance. Pour ma part, je dirai simplement que Montignac propose une diète restrictive, compliquée sans raison et ne présentant pas d'effets bénéfiques à long terme.

D'autres diètes ont fait – ou font encore – du tort. Je songe entre autres à Nutri System, qui n'existe plus aujourd'hui mais qui imposait l'achat à la clinique du même nom de tous les repas de la semaine (plats congelés faibles en gras) et interdisait la préparation d'aliments à la maison. Cette méthode très coûteuse ne permettait pas l'acquisition de nouvelles habitudes et n'empêchait pas les reprises de poids.

Je pense aussi aux régimes à base de protéines qui exigent l'achat de petits sachets de poudre pour la semaine (crème de champignon, poudings, etc.). La personne ne mange qu'un seul vrai repas par jour, en plus d'une poudre deux ou trois fois par jour. Des experts en obésité de l'Université Columbia ont noté qu'une telle diète entraînait une foule d'effets secondaires tels que la fatigue, les nausées, la diarrhée, la constipation, les étourdissements, l'assèchement de la peau, l'intolérance au froid, la perte de cheveux, des crampes musculaires. Ce qui m'apparaît encore plus grave est l'effet rebond de cette approche sévère. Je me souviens d'une jeune femme qui avait rapidement perdu environ 70 livres de cette façon; quand je l'ai revue, 2 ans plus tard, elle avait repris 90 livres. Je trouve cela désolant. De tels résultats recoupent les observations de chercheurs européens qui ont voulu connaître l'effet à long terme de la diète aux protéines; ils ont observé que seulement 3 personnes sur 100 réussissent à maintenir leur perte de poids après 5 ans. Ils ont également noté que les personnes qui décident de suivre ce type de diète une seconde fois ne réussissent plus à perdre autant de poids que la première fois, preuve que le métabolisme ralentit son fonctionnement à chaque réduction des calories. Il le fait même en présence d'une activité physique importante. Des experts du Minnesota ont en effet noté qu'une telle diète peut abaisser le métabolisme de 40 %, même chez des personnes qui marchent 25 kilomètres par semaine. Une diète qui bouleverse le métabolisme à ce point ne fait qu'entretenir le cercle vicieux des pertes et des reprises de poids, en plus de ruiner l'estime de soi.

De son côté, l'approche Weight Watchers circule depuis plus de 40 ans et offre le plus équilibré de tous les régimes sur le plan strictement nutritionnel. Tous les aliments de base y sont permis à l'intérieur d'un modèle alimentaire de trois repas par jour. Le taux de succès laisse toutefois à désirer. Une des faiblesses de cette approche réside dans le rituel du pèse-personne. Se faire applaudir pour une perte de poids et se faire questionner pour une reprise, cela ne constitue pas, selon moi, une façon saine de retrouver l'estime de soi. L'établissement d'un objectif qui n'est pas toujours réaliste en est une autre faiblesse. Si une personne pèse 40 livres de trop depuis 35 ans, elle ne peut pas espérer perdre 40 livres simplement parce que ça lui permettrait d'atteindre le poids qu'elle aimerait avoir ou le poids proposé dans les tables. Je ne nie pas la validité des tables de poids santé, mais je pense que les objectifs fixés sont souvent irréalistes et laissent plusieurs personnes en plan. Si cette diète ne cause pas de tort physique, elle n'aide pas les personnes ayant une faible estime d'elles-mêmes ou une mauvaise relation avec la nourriture.

Les méfaits du pèse-personne

À la clinique, je n'utilise presque plus le pèse-personne. Je ne le crois pas utile, surtout lorsque le poids est une hantise. Je l'évite carrément lorsque je soupçonne un problème de boulimie ou d'anorexie.

Le pèse-personne ne dit pas tout; il ne détecte pas la rétention d'eau, la constipation, l'utilisation de diurétiques, la masse musculaire, le repas sauté, autant de phénomènes qui modifient ponctuellement le poids. Depuis 25 ans de travail clinique, je constate qu'un seul chiffre peut démoraliser ou encourager. Certaines personnes dépriment lorsque le chiffre de la pesée ne correspond pas à leurs attentes; elles ne croient plus aux bons changements alimentaires effectués et elles démissionnent. Mais le pèse-personne peut donner un chiffre différent le lendemain ou le surlendemain. D'autres jubilent lorsque le pèse-personne affiche une perte de poids imprévue. Elles repartent de la clinique en se donnant carte blanche pour la délinquance. Dans les deux cas, le pèse-personne demeure le fauteur de troubles.

À moins que mes patients n'insistent, j'oublie maintenant le pèse-personne. Je mesure le tour de taille et conseille de se fier aux vêtements. Dans le cas d'Annick, j'utilisais le pèse-personne mais, à sa demande, je lui cachais le chiffre exact tout en lui soulignant le progrès. Je ne suis pas sûre de lui avoir toujours dit la vérité lorsque je la sentais fragile. Mais une chose est certaine: le pèse-personne constitue un outil de torture pour certains et une source de frustration pour plusieurs.

Dans le cas de la personne boulimique qui relie son malheur à son surpoids, le pèse-personne lui fournit une autre occasion d'être triste et insatisfaite. Il ne l'aide aucunement à se sentir mieux dans sa peau. Si le pèse-personne oriente le prochain repas et qu'une légère reprise de poids entraîne un jeûne, le cercle vicieux des rages reprend de plus belle. Au contraire, l'élimination du pèse-personne permet une pause, un repos psychologique. Une réflexion sur ses habitudes de vie s'avère plus utile que la pesée obsessionnelle chaque matin. Les reculs font partie de la démarche, mais ils sont plus faciles à accepter sans le témoignage du pèse-personne. Et la bonne démarche alimentaire mène ultérieurement à une perte de poids. Bon sens ne peut mentir!

Les effets de la boulimie sur la santé

La boulimie n'est pas une maladie inoffensive. Elle affecte la santé sur tous les plans: physique, psychologique et social.

Sur le plan physique, mais dans de rares cas seulement, la prise excessive d'aliments peut causer une rupture de l'estomac; les vomissements à répétition peuvent perforer la paroi de l'œsophage; les purges peuvent mener à la mort après une défaillance cardiaque et une perte de potassium. Dans des cas moins extrêmes, le fait d'avaler un volume important d'aliments provoque d'importants ballonnements. Les vomissements sont associés à une production d'acide qui irrite l'œsophage, donne mauvaise haleine, attaque l'émail des dents, cause des caries et ne peut être neutralisé même par un bon brossage des dents. Même les doigts en sortent endommagés. Les vomissements entraînent du même coup un déséquilibre du sodium et du potassium, ce qui cause une grande fatigue, des chutes de pression, des spasmes pouvant aller jusqu'à des convulsions, une insuffisance rénale et de l'arythmie. L'utilisation de laxatifs ne fait pas perdre de poids, puisque les calories sont absorbées avant d'arriver au côlon. En revanche, l'accélération du processus de digestion peut causer des ulcères, et l'intestin réagit à l'abus de laxatifs en devenant de plus en plus paresseux. Les diurétiques, tout comme les laxatifs, ne font pas maigrir, ils provoquent cependant une déshydratation; l'organisme réagit à cette déshydratation en retenant le plus d'eau possible, ce qui provoque des ballonnements et de la constipation. Et si le poids varie constamment dans un sens comme dans l'autre, le phénomène du yo-yo continue de ralentir le métabolisme.

Si, en plus de cela, il y a prise d'extraits de thyroïde pour stimuler le fonctionnement de cette glande ou de médicaments pour diminuer l'appétit, il s'ajoute des problèmes de surexcitation et d'insomnie. Aucun de ces médicaments n'a permis de pertes de poids durables. L'un d'eux – Redux – a même été retiré du marché en 1997 après avoir été incriminé pour des lésions de valves cardiaques et quelques décès. Rien de rassurant.

Les conséquences psychologiques et sociales de la boulimie sont tout aussi importantes, puisque les personnes atteintes de boulimie ne vivent plus normalement. Elles n'ont plus de joie de vivre parce que tout passe par le filtre de l'obsession d'être quelqu'un d'autre. Leur problème prend toute la place et rend quasi inaccessibles les belles choses qu'elles pourraient vouloir faire ou vivre. Elles se réveillent en pleine nuit se voyant dans leurs cauchemars en train de manger des aliments interdits. Elles se lèvent le matin et ne pensent qu'à ça. Chaque repas, chaque occasion de manger devient un mauvais rêve. Les aliments personnifient leur ennemi. L'état de détresse dans lequel elles se trouvent est significatif. La perte de poids souhaitée est systématiquement annulée par les rages et ces pertes de contrôle minent leur estime d'elles-mêmes. Un échec est rapidement suivi d'un autre et, pour se consoler, elles mangent à nouveau. Les mots pour décrire leur tourment, leur tristesse et leur angoisse ne rendent pas l'intensité de la réalité. Pas étonnant que plusieurs boulimiques souffrent de dépression et qu'un tel état mène au suicide dans certains cas.

L'obsession de la minceur les empêche même d'établir de bonnes relations avec autrui, les garde isolées de leur entourage. Le témoignage d'Annick en dit long à ce sujet. Les rages se concrétisent à l'abri des regards et des commentaires. Ce besoin du secret mène à refuser de manger au restaurant ou chez des amis. Il s'agit d'un retrait social qui devient très malsain. On mange seul, on se console seul et on règle ses problèmes seul, avec les aliments. On ne demande pas d'aide parce qu'on a honte, parce qu'on se dévalorise et qu'on a peur de se faire juger. C'est ce qui rend le témoignage d'Annick si précieux.

Que faire pour s'en sortir ?

La démarche est souvent longue et semée d'embûches. Toutes ses composantes sont importantes, qu'elles soient d'ordres médical, diététique ou psychologique (avec un thérapeute ou en groupe). Et toutes peuvent être complémentaires.

L'approche diététique a pour objectif de reprendre lentement confiance dans les aliments, de les percevoir comme des alliés et non comme des ennemis. La première chose à faire pour y arriver est d'établir une routine alimentaire, d'oublier le pèse-personne et d'identifier les aliments protecteurs et les aliments déclencheurs. En d'autres termes, il s'agit de réapprendre à se nourrir dans un cadre simple mais structuré. Ce faisant, on retrouve une certaine sécurité et, ultérieurement, le plaisir de manger. Les grandes consignes d'une réhabilitation alimentaire se résument comme suit.

Adopter une routine de trois vrais repas par jour. Une personne qui souffre de boulimie ne peut pas attendre d'avoir faim pour manger. Elle ne sait plus quand commencer et quand s'arrêter. Ses signaux annonçant la faim et la satiété ont été ignorés pendant trop longtemps. Pour retrouver un fonctionnement normal, elle doit adopter une routine de trois vrais repas par jour, tous les jours de la semaine et même en vacances. Une telle routine semble banale mais elle protège contre les rages, la bête noire des boulimiques. Et elle a fait ses preuves. Le vrai repas inclut toujours une dose adéquate de protéines et de fibres alimentaires, de fruits et de légumes (voir le paragraphe sur les aliments protecteurs). Chaque repas permet de faire le plein de bons aliments au bon moment. Et chaque repas redonne confiance dans les aliments comme source d'énergie.

Ne jamais sauter un repas. Sans adopter un horaire trop strict, une boulimique ne peut se permettre de sauter un repas, surtout pas celui du matin. Même s'il n'a jamais fait partie de ses habitudes, le premier repas de la journée fait une différence, particulièrement s'il est composé d'aliments protecteurs. En réalité, chaque repas aide à stabiliser la glycémie. Si une rage survient entre deux repas, mieux vaut limiter les dégâts, poursuivre la routine et manger au prochain repas comme si de rien n'était.

Prendre les choses au jour le jour. Pour ne pas perdre pied, il est recommandé de suivre les consignes au jour le jour et de se féliciter pour toutes les petites victoires. Lorsqu'il se produit un écart, il faut apprendre à retomber sur ses pattes comme un chat.

Prévoir des aliments protecteurs à chaque repas. Les aliments riches en protéines et en fibres alimentaires sont des aliments protecteurs, parce qu'ils ont la capacité de stabiliser la glycémie et de protéger contre les rages. C'est pourquoi ils sont indispensables à chaque repas et même parfois aux collations. On trouve de bonnes quantités de protéines dans une portion de poisson ou de fruits de mer, de volaille, de viande, d'œufs, de noix, de lait, de yogourt, de légumineuses, de fromage et même de tofu. On trouve des fibres alimentaires dans le son de blé, les céréales de son, les légumineuses, les verdures et autres crudités, les fruits frais, les pains de grains entiers, les noix. L'achat d'aliments protecteurs pour deux ou trois jours à la fois aide à structurer les repas sans imposer de préparations culinaires trop élaborées. Il vaut beaucoup mieux ne manger qu'une poitrine de poulet riche en protéines et une dizaine de carottes crues riches en fibres qu'un sandwich aux tomates fait avec du pain blanc dont la teneur en protéines et en fibres est très faible.

Éviter les aliments déclencheurs. Certains aliments sont à éviter parce qu'ils déclenchent des réactions fâcheuses et nuisent à la démarche. Ces aliments dits déclencheurs stimulent la sécrétion d'insuline et entraînent des baisses de glycémie, ce qui est nuisible et donc contre-indiqué dans le cas d'une personne souffrant de boulimie. Ils sont tous sucrés et ont un indice glycémique élevé. On ne les évite pas pour une question de calories, de gras ou de poids, mais pour se protéger contre les rages. La restriction devient une protection. Elle est stricte au début de la réhabilitation alimentaire parce qu'elle permet de contourner la difficulté de gérer le sucre. Elle ne sous-entend toutefois pas une interdiction à vie.

Prévenir ou traiter les problèmes de constipation. L'abus de laxatifs et une alimentation *rock and roll* affectent les intestins. Les problèmes de ballonnements et de constipation sont fréquents et peuvent durer un certain temps malgré la nouvelle routine. On ne sait plus quoi manger et on désespère. Les grandes clés d'un fonctionnement normal se résument en l'adoption d'un horaire alimentaire régulier, la consommation d'aliments riches en fibres, une bonne hydratation et une activité physique constante. Des aliments riches en fibres font partie des aliments protecteurs et regroupent des légumes, surtout crus, des fruits frais, des produits céréaliers de grains entiers, des noix et des graines. Si les intestins demeurent irrités et que les ballonnements persistent, il peut être nécessaire de délaisser temporairement les grosses salades et autres crudités, et d'intégrer au petit-déjeuner quelques cuillerées (une ou deux) de son de blé naturel dans un yogourt ou une compote de fruits.

Retrouver le plaisir de manger. Les personnes qui souffrent de boulimie ont perdu de vue le plaisir de manger. Elles ont donné aux aliments une fonction qui n'a rien à voir avec la nutrition non plus qu'avec la gastronomie. Elles y ont puisé un réconfort psychologique qui s'est transformé en un esclavage débilitant. En adoptant une routine plus sécurisante, elles peuvent réapprendre à goûter les aliments, à retrouver le plaisir de manger. Cet apprentissage exige un certain temps, mais il est capital.

Réapprendre à s'aimer. Quand la source du problème est le manque d'estime de soi, le fait de chercher à être mieux dans sa peau en perdant du poids ne règle pas le problème. Quand on souffre de cholestérol, on effectue de nouveaux choix alimentaires et le cholestérol baisse. Mais lorsque les émotions s'enchevêtrent aux aliments, l'approche diététique n'est pas aussi simple ; elle passe par un ménage intérieur qui exige du temps. Il devient plus important de faire la paix avec les émotions négatives que de perdre un kilo.

Annick a démontré qu'il est possible de réapprendre à s'aimer. Je lui disais toujours : « Le jour où vous allez avoir plus de plaisir avec vous-même, le jour où vous allez reprendre confiance en votre potentiel, vous allez trouver la routine alimentaire plus facile. » Annick a beaucoup de qualités ; c'est une belle femme, charmante, intense, intelligente, mais qui avait perdu la possibilité d'utiliser tous ses atouts. Tant que ses nœuds intérieurs ne lui permettaient pas de donner libre cours à une meilleure confiance en elle, ça ne marchait pas. Mais lorsqu'elle a pu retrouver l'estime d'elle-même, elle a su bénéficier des outils alimentaires que je lui avais donnés. S'il n'y avait pas eu ces changements profonds chez Annick, elle ne serait pas où elle est aujourd'hui. La guérison de la boulimie passe par la valorisation de soi, de ses qualités, de ses atouts et de ses talents particuliers. Le jour où la personne se valorise elle-même, elle est sortie du tunnel.

Réapprendre à manger avec d'autres. La personne qui a souffert de boulimie a pris l'habitude manger seule, à l'abri de tous les regards. Elle doit tranquillement réapprendre à manger avec d'autres, et le faire le plus souvent possible. Lorsqu'on partage un repas, on mange modérément. Lorsqu'on y intègre des aliments protecteurs, on se protège des rages tout en retrouvant le plaisir du partage. Puisque le réflexe de tout garder secret subsiste un peu, il faut faire attention de ne pas trop se priver en présence des autres, car cela n'aide pas. Moins on mange en public, plus on a l'air sage ; mais plus on risque de s'empiffrer quand on se retrouve seul.

Des organismes qui apportent du soutien

Différents organismes permettent aux boulimiques d'aller chercher tout le support nécessaire.

L'ANEB (l'Association québécoise d'aide aux personnes souffrant d'anorexie nerveuse et de boulimie) existe depuis 1984. Cette association vient en aide à un nombre croissant de personnes, femmes et hommes de plus de 18 ans. Dans le cadre de son programme de groupes de soutien, les participants, au nombre de cinq à huit par groupe, se rencontrent chaque semaine et s'engagent à demeurer au sein du groupe pendant une période de 6 à 10 mois. D'autres groupes dits ouverts n'imposent pas l'assiduité mais apportent un soutien de plus courte durée. Ces groupes sont animés par des personnes formées, permettent de ventiler les émotions et fournissent l'aide d'une diététiste ou d'une stagiaire en diététique. L'ANEB offre aussi des cours destinés aux proches de la personne touchée, publie un bulletin quelques fois par année, a une ligne téléphonique accessible du lundi au vendredi de 9 h à 17 h (514 630-0907) et un site web (www.generation. net/anebque).

Plusieurs hôpitaux et organismes de la région de Montréal offrent des services aux personnes qui souffrent de troubles de comportement alimentaire.

- Hôpital général de Montréal, programme de traitement des troubles de l'alimentation et de l'obésité (514) 934-8034.
- Hôpital Sainte-Justine, section de médecine de l'adolescence (514) 345-4721.
- Hôpital de Montréal pour enfants, service multidisciplinaire pour les adolescents de 18 ans ou moins atteints d'un trouble de l'alimentation (514) 934-4481.
- Hôpital Douglas, unité des troubles de l'alimentation (514) 761-6131 (22895).
- Hôpital général du Lakeshore (514) 630-2163.
- Hôpital du Sacré-Cœur, pour les 14 à 18 ans (514) 338-4280 ; pour les 6 à 14 ans (514) 338-4356.
- CLSC (Info-Santé) (514) 626-2572.

Le NEDIC (National Eating Disorder Information Center), situé à Toronto, a été fondé en 1985 et possède une banque de données sur les ressources du milieu, y compris les thérapeutes en plus de coordonner des programmes de prévention. On peut le joindre au (416) 340-4156 ou, sans frais, au 1 866 NEDIC20.

Son site web (www.nedic.on.ca) fournit notamment une longue liste de revues publiées de par le monde qui traitent des troubles de l'alimentation.

Les OA (Outremangeurs anonymes) ont pour leur part des groupes d'entraide dans toute la province.

Il faut surtout éviter de se lancer dans une nouvelle diète, car toute démarche basée sur la recherche d'une perte de poids perpétue l'obsession de la minceur, ne permet pas de réapprendre à manger et n'aide pas à mieux s'apprécier.

Le même traitement ne s'applique pas à tout le monde. Si je considère mes conseils cliniques, je crois à une base commune et aux mêmes aliments protecteurs. Les conseils et les trucs sont toutefois adaptés à chacun. Si une personne travaille de nuit ou voyage autour du monde, les éléments de solution varient.

Un processus de longue haleine

La boulimie est une maladie qui se développe lentement. La personne atteinte veut en minimiser la gravité ; elle n'en parle à personne et évite de penser aux conséquences. Or, la boulimie fait beaucoup de ravages, et ils ne se réparent pas en quelques mois. Redécouvrir le plaisir de manger normalement peut prendre des années. Retrouver le plaisir du petit morceau de gâteau sans le percevoir comme un interdit et sans avoir des remords est un processus de longue haleine. Ça exige un travail sur soi et une transformation intérieure qui ne sont pas évidents lorsqu'on tente seul de régler cet inconfort.

Le temps de réadaptation varie selon les individus. Des chercheurs de l'Université du Minnesota estiment que 50 % des personnes atteintes de boulimie sont guéries de 5 à 10 ans après le début d'une démarche ; 30 % des femmes atteintes ont des rechutes qui diminuent après une période de quatre ans, alors que 20 % requièrent plus de temps pour s'en sortir. J'ai vu Annick sur une période de 10 ans. Elle partait de loin. Si on attend trop longtemps pour amorcer une démarche, on perd confiance en son propre corps et en sa capacité de résister aux rages. Je me souviens de l'inquiétude d'Annick qui me disait : « Vous êtes sûre que ça marche ? » Elle a vu que lorsqu'elle mangeait les bons aliments au bon moment, elle avait moins de rages. Elle a graduellement repris confiance en ses capacités.

Parallèlement à sa thérapie et à sa démarche alimentaire, Annick est retournée aux études, elle a changé d'emploi et s'est retrouvée dans un nouveau milieu, un milieu qui valorisait ses talents. Tous ces changements ont exigé du temps. Le processus de guérison a lentement fait son œuvre.

Un tel parcours est toujours difficile. Mais les rechutes ne sont pas synonymes d'échec. Au contraire, une rechute devient l'occasion de mieux se comprendre et consolide la démarche. Mais lorsqu'une rechute est gardée secrète, qu'elle n'est pas discutée, la démarche peut devenir une impasse. Pour repartir du bon pied, ce ne sont pas les aliments consommés qu'il faut évaluer, mais les facteurs qui ont provoqué la chute. C'est le *pourquoi* de la rechute qui renseigne et donne des pistes de solutions. C'est ce qui permet de mieux se comprendre et d'en sortir. Les erreurs renseignent mieux que les succès… Et à un certain moment, l'immunité s'installe. En ce qui concerne Annick, elle a atteint ce stade. Elle a gagné !

Et demain ?

En Amérique du Nord, le nombre de victimes d'anorexie et de boulimie va en s'accroissant. Si l'on veut stopper cette épidémie, pourquoi ne pas interdire la publicité entourant les divers régimes et médicaments amaigrissants comme on a interdit la publicité concernant le tabac ? Pourquoi ne pas subventionner des programmes qui sensibiliseraient les jeunes dès l'école primaire aux risques associés à l'obsession de la minceur ? Pourquoi ne pas encourager l'activité physique dans les écoles et ailleurs, puisque l'exercice et l'estime de soi vont de pair de 7 à 77 ans ? Pourquoi ne pas oublier les discours anti-obésité qui culpabilisent les personnes enveloppées et ne favorisent pas la santé publique ? Autant de mesures qui peuvent graduellement changer le climat social, entraîner une meilleure acceptation de son image corporelle et valoriser plusieurs modèles de beauté et de santé.

Il est temps d'effacer l'équation qui relie bonheur et minceur. Il est temps de retrouver le plaisir de manger sans remords !

Le point de vue de la psychologue

par Annette Richard

Le paradoxe de la souffrance que l'on s'inflige

Peut-on comprendre que des jeunes filles, des femmes et, de plus en plus, des hommes agressent leur propre corps par des comportements alimentaires boulimiques et anorexiques jusqu'à en mourir? Peut-on comprendre la persistance de tels comportements autodestructeurs et la résistance de ces personnes souffrantes à tout effort entrepris pour les aider? Annick Loupias a souffert pendant 20 ans d'un trouble des conduites alimentaires sévère qu'on appelle l'anorexie-boulimie. J'ai été la thérapeute d'Annick pendant environ sept ans, après maintes tentatives thérapeutiques préalables de sa part. Louise Lambert-Lagacé a pris le relais pour aider Annick sur le plan du comportement alimentaire.

Pourquoi est-ce si long, si difficile d'aider à soulager cette souffrance? Le tissu de la vie de certains d'entre nous est fait d'une prédominance de haine de soi et de l'autre. Le parent, l'ami ou le thérapeute qui tente de changer cette haine en amour devient dangereux; il menace de détruire la vie, telle qu'elle s'est tissée, donc la vie elle-même. Peut-on comprendre qu'il en soit ainsi? Ce paradoxe de la souffrance humaine rejoint d'autres situations tout aussi mystérieuses: pourquoi les couples qui se haïssent, s'agressent et se font la guerre ne se séparent-ils pas ?

La longue pratique clinique en psychologie nous a permis de comprendre que les conduites humaines problématiques et souffrantes, celles que la tradition médicale psychiatrique désigne comme des symptômes d'un trouble pathologique, représentent les efforts désespérés de ces individus pour survivre psychologiquement à des traumatismes provenant de leur interaction avec l'environnement humain de l'enfance et de l'adolescence. Ces traumatismes sont parfois liés à des événements spectaculaires comme des abus sexuels ou de la violence physique et psychologique, parfois ils sont liés à des événements ordinaires et subtils qui s'inscrivent dans le dialogue émotif entre parents et enfants, comme nous le verrons plus loin. L'enfant n'est cependant pas façonné passivement par ces expériences ; il est un agent actif dans le processus de son développement. Ainsi, s'il fait l'expérience traumatisante de négligence, d'abus ou tout simplement de non-réponse à ses besoins fondamentaux, il s'attend à revivre les mêmes traumatismes et élabore des moyens complexes pour s'en protéger. Ceux-ci forment un système immunitaire et défensif de survie. C'est la meilleure adaptation possible, même si elle est une source de détresse pour l'individu. J'insisterai surtout sur la nécessité, pour le thérapeute, et pour toute personne qui tente de soulager cette détresse, de reconnaître et de comprendre les motivations paradoxales de ces conduites humaines que l'on considère parfois comme des maladies. Cela signifie comprendre la partie autodestructrice mais aussi la partie autoprotectrice de soi et des liens avec les autres.

Annick fait un récit bouleversant de sa longue descente dans l'enfer de l'autodestruction et de sa pénible remontée. Son histoire illustre de façon vivante et unique que cette guerre sans merci entre des parties de soi et entre soi et les autres répond toujours à un besoin profond de survie psychologique et d'adaptation à un contexte familial, social et culturel particulier. Cette réponse est cependant loin d'être évidente pour les personnes de l'entourage et même pour le thérapeute, lorsqu'elles sont témoins de la violence qu'elle contient et parfois prises en otage par celle-ci. Elles doivent survivre aussi et ne pas se laisser tyranniser ni totalement contrôler. Par ailleurs, comment aider sans devenir celui ou celle qui contrôle ou tyrannise, ou sans rester coincé dans leur tyrannie ?

Le récit d'Annick nous mène au cœur de cette souffrance, la sienne et celle de ceux qui l'aiment et qui ont tenté de l'aider. Annick a beaucoup de ressources personnelles ; elle est attachante, chaleureuse, intelligente, vive et intense. Elle a suscité beaucoup d'amour et d'attachement chez les autres. Incapable de s'en nourrir depuis son adolescence, elle criait sa privation et son vide, soit en avalant des quantités astronomiques de nourriture pour ensuite se purger, soit en se privant de nourriture de façon excessive. C'est par la répétition de ces scénarios extrêmement souffrants que des solutions nouvelles émergeront pour Annick. Mais à une condition : que des personnes puissent entendre, comprendre, reconnaître sa voix tout en maintenant leur propre voix. Cela suppose des personnes qui ne se sauveront pas en l'abandonnant ou qui ne se laisseront pas engloutir dans le cycle de la violence. Comme thérapeute d'Annick, c'est seulement en essayant d'entrer en contact émotif avec sa souffrance, à la fois différente et semblable à la mienne, en tentant de la comprendre sur le plan émotif, en tentant de maintenir ou de restaurer ma propre intégrité émotive quand je la perdais, que j'ai parfois pu offrir à Annick des occasions de vivre des expériences nouvelles qui l'ont amenée graduellement à s'ouvrir à d'autres manières d'être avec elle-même et avec les autres. Je crois que le récit qu'Annick, fait de son inlassable recherche de liens guérissants avec la nourriture et avec les autres, met en évidence le potentiel destructeur de cette recherche en ce qu'elle ne fait que reproduire l'impasse relationnelle à l'origine de la souffrance. Mais il met aussi en lumière la grande résilience[1] de l'être

---

1. Le terme « résilience » est utilisé en physique pour caractériser la résistance au choc. Il a récemment été appliqué au développement humain par Boris Cyrulnik dans ses livres *Un merveilleux malheur* et *Les vilains petits canards* (Paris, Éditions Odile Jacob, 1999 et 2001) pour désigner la capacité de résister au traumatisme.

humain et le potentiel transformateur de cette répétition, qui le fait passer d'une position autoprotectrice de survie à une capacité de vivre plus pleinement.

Avant de fournir une explication psychologique de l'expérience boulimique d'Annick et de décrire son traitement, je propose une définition différenciée et une description générale des troubles des conduites alimentaires.

Qu'entend-on par «Troubles des conduites alimentaires» (TCA)?

Les comportements alimentaires d'une personne sont appris dans un contexte d'habitudes familiales, de traditions culturelles et d'impératifs sociaux et économiques. La régulation des besoins corporels, en particulier celui de manger signalé par la sensation de faim, est donc une pratique apprise et élaborée en fonction des interrelations de l'individu avec son milieu et non pas une donnée inhérente à chaque organisme. La recrudescence épidémique des désordres du comportement alimentaire, en particulier chez les femmes, s'explique par des facteurs à la fois physiologiques, psychologiques et sociaux. Durant la dernière moitié du XXe siècle, l'idéal de beauté caractérisé par la minceur corporelle des femmes a provoqué chez celles-ci une pratique compulsive de régimes alimentaires, souvent en alternance avec des épisodes de consommation frénétique. Cette relation perturbée à la nourriture a pris des allures parfois tragiques. Depuis 1950, nous observons, surtout chez les adolescentes et les jeunes femmes – la plupart du temps de jolies filles fort intelligentes –, l'apparition de plus en plus fréquente d'un trouble des conduites alimentaires (TCA), l'anorexie mentale. Celle-ci se caractérise par une privation extrême de nourriture entraînant une maigreur excessive, même squelettique, et pouvant mener à la mort. Peu de temps après est apparu de plus en plus fréquemment le comportement alimentaire inverse, la boulimie nerveuse, parfois identifiée comme le syndrome «orgie-purge». Les deux troubles sont issus de la même préoccupation obsessive de minceur corporelle et donnent lieu à des rituels alimentaires compulsifs. Historiquement, la boulimie découle de l'anorexie. Mais des épisodes de boulimie peuvent alterner avec des épisodes anorexiques chez une même personne.

Prévalence

Les troubles des conduites alimentaires (TCA), qui augmentent de façon épidémique dans la population féminine depuis 1950 environ, tendent à se manifester aussi chez les hommes. Selon les statistiques officielles, seulement 5 à 10 % des TCA sont diagnostiqués chez eux. Mais il est possible que ce pourcentage soit plus élevé. Les TCA étant vus comme une problématique surtout féminine, les hommes seraient plus honteux d'admettre leur difficulté et de demander de l'aide. Un animateur bien connu au Québec qui a souffert d'anorexie-boulimie confiait à *La Presse* (7 février 2001) : « Quand tu as une maladie de fille, t'as honte, tu te sens seul. » Alors que l'obsession de la minceur corporelle caractérise les troubles alimentaires chez les filles, il semble que chez les garçons l'obsession prend la forme d'une recherche compulsive d'un corps d'Adonis[2].

Le groupe d'âge de 12 à 30 ans est le plus à risque. Il s'agit d'un problème de santé psychosociale de première importance. Les spécialistes estiment que 80 000 Québécois risquent de développer un trouble des conduites alimentaires et que 250 000 développeront des comportements alimentaires problématiques[3]. Parmi les premiers, de 10 à 20 % en mourront ; les TCA seraient donc la principale cause de mortalité attribuable à un trouble psychiatrique.

---

2. Pope Jr. H.G., Phillips, K.A. & Olivardia, R. *The Adonis Complex : The Secret Crisis of Male Body Obsession*, s. l., Free Press, 2000.

3. Ces statistiques proviennent d'une conférence donnée au Congrès de l'OPQ en octobre 2000 par Sonia Boivin et Sarah-Jeanne Salvy.

Description

Les troubles des conduites alimentaires semblent démontrer une très grande variabilité en ce qui concerne l'ensemble des symptômes, leurs facteurs de précipitation, leur étiologie et les types de personnalité des sujets qu'ils touchent. Il s'agit de désordres complexes, multidéterminés par l'interaction de la personne avec les autres, dans les contextes familial, social et culturel.

Voyons cependant comment le manuel de classification nosographique de l'American Psychiatric Association, le DSM-IV (*Diagnostic and Statistical Manual of Mental Disorders*, 1994) les décrit et les différencie. Le DSM constitue un modèle médical de psychopathologie. Il fournit une simple description des syndromes de détresse psychologique qui ont été observés et classifiés d'un point de vue externe et très général. Les catégories du DSM décrivent des complexes observables de comportements, d'états mentaux et de pensées, sans tenter d'en expliquer l'étiologie et sans considérer le contexte familial, social et culturel dans lequel ces symptômes de détresse prennent leur sens. Elles nous serviront ici de définitions descriptives, mais nous irons ensuite au-delà de cette perspective médicalisante, vers une explication fondée sur une vision du développement de la personne.

L'anorexie mentale *(Anorexia nervosa)*

Selon le DSM-IV (1994), le refus d'une personne de maintenir un poids corporel minimal normal pour son âge et sa taille est le premier critère de la présence d'un syndrome d'anorexie mentale. Le poids corporel est en ce cas inférieur de 15 % ou plus au poids idéal prévu. De plus, malgré ce poids inférieur à la normale, la personne a une peur obsessive de prendre du poids ou de devenir grosse. Elle a aussi tendance à se percevoir grosse ou à croire que certaines parties de son corps sont trop grosses, alors que, selon son entourage et selon le poids normal, elle est trop maigre. Chez les femmes, ce syndrome inclut également l'absence d'au moins trois cycles menstruels consécutifs.

Comme dans le cas des autres TCA, l'estime de soi de la personne anorexique est très fragile. Mais chez elle, cette estime est liée presque exclusivement à la perception du poids et des formes corporelles ainsi qu'au contrôle qu'elle arrive à exercer sur la quantité de nourriture qu'elle ingère et aussi souvent sur ses autres désirs, ses émotions et leurs manifestations. L'amincissement et la privation de nourriture deviennent des obsessions ; perdre du poids devient le seul espoir d'une vie meilleure. Il arrive aussi que la personne ait une telle haine d'elle-même qu'elle a le sentiment de ne mériter aucun des plaisirs de la vie. Elle se privera non seulement du plaisir de manger mais de tous les autres. Les comportements alimentaires deviennent hautement ritualisés et la personne s'isole pour ne se centrer que sur ce qui l'obsède : « Rien ni personne ne doit compromettre ma diète. » Elle aura tendance à se cacher et à nier l'existence d'un problème.

Il n'est pas rare qu'une personne anorexique passe par des périodes de boulimie. Le DSM-IV distingue deux types d'anorexie mentale. Au type « restrictif » correspond la personne anorexique qui n'a pas, de manière régulière, de crises de boulimie et qui ne recourt pas aux vomissements provoqués ou à la prise de purgatifs afin de contrôler son poids. Au type « compulsion alimentaire/purgatif » correspond la personne qui, pendant l'épisode d'anorexie nerveuse, mange régulièrement de manière compulsive, pour avoir ensuite des comportements purgatifs tels que vomissements provoqués, prises de diurétiques et de laxatifs ou lavements.

La boulimie *(Bulimia nervosa)*

Même si elle existe depuis plusieurs générations, la boulimie n'a été reconnue que très récemment comme syndrome clinique différent de l'anorexie nerveuse. Pourquoi ? Peut-être en partie parce qu'une conduite boulimique est plus secrète, plus souvent niée que l'anorexie, et parce que ses conséquences sont parfois moins visibles. Peut-être aussi parce que la boulimie « cliniquement significative » est plus difficile à identifier, compte tenu de la mode actuelle des régimes et de la poursuite de la minceur alternant avec des frénésies alimentaires très courantes dans la population féminine. Ces modes sont d'ailleurs un des facteurs déterminants de ce syndrome plus grave qu'est la boulimie.

Ce n'est qu'en 1980 que la boulimie est apparue dans la classification nosographique de l'American Psychiatric Association (DSM-III). La crise de boulimie y est ainsi définie : « Épisodes récurrents de frénésie alimentaire (consommation rapide d'une grande quantité de nourriture en un temps limité). » On la dit associée à un « sentiment de perte du contrôle du comportement alimentaire durant les épisodes de boulimie ». Cette crise ne survient pas exclusivement pendant des épisodes d'anorexie. L'orgie boulimique est souvent suivie de comportements qui visent à réguler le poids : « [La personne] soit se fait vomir, soit utilise des laxatifs ou des diurétiques, soit pratique un régime strict ou jeûne, soit se livre à des exercices physiques importants... » Comme l'anorexique, la personne boulimique manifeste une préoccupation excessive et persistante concernant le poids et les formes corporelles. Un diagnostic de boulimie cliniquement significative est posé lorsque la personne présente au moins deux épisodes boulimiques par semaine, pendant au moins trois mois. Certains facteurs émotionnels sont associés aux crises de boulimie, soit « la conscience du caractère anormal de cette conduite alimentaire et la crainte de ne pouvoir s'arrêter volontairement de manger » ainsi que la « tristesse de l'humeur et l'autodépréciation après les accès boulimiques ». Comme dans le cas de l'anorexie, on distingue deux types de boulimie, le type avec vomissements ou prise de purgatifs et le type sans vomissements ni prise de purgatifs (laxatifs, diurétiques et lavements). La personne atteinte de ce dernier type de boulimie peut cependant avoir régulièrement recours à d'autres comportements compensatoires tels que le jeûne ou l'exercice physique excessif. Certaines personnes peuvent ainsi alterner entre des périodes de boulimie et des périodes de régimes draconiens qui s'apparentent à l'anorexie. On parle alors d'anorexie-boulimie.

On désigne parfois la boulimie comme le syndrome orgie-purge (« binge-purge »). Le recours à la purge est maintenu au début par la crise de boulimie : « J'ai trop mangé, donc je me purge. » Mais rapidement, la purge justifie l'orgie : « Je vomis, donc je peux manger. » Le cycle infernal devient le centre de la vie de la personne, et il s'accompagne souvent d'autres comportements compulsifs tels que l'abus d'autres substances (alcool, café, tabac, drogues), le vol à l'étalage et les tendances suicidaires.

Le trouble non spécifié des conduites alimentaires

Le DSM-IV (1994) précise que d'autres troubles des conduites alimentaires ne remplissent pas les critères de l'anorexie ou de la boulimie, mais demeurent tout de même pathologiques. Par exemple, une femme peut être anorexique tout en ayant des règles régulières ou encore sans que son poids soit anormalement bas. Une autre peut souffrir de boulimie sans que les crises de boulimie et les comportements compensatoires soient aussi fréquents, ou même si les comportements compensatoires surviennent après l'absorption de petites quantités de nourriture. Finalement, le manuel identifie l'hyperphagie boulimique, qui présente des épisodes récurrents de crises de boulimie (au moins deux jours par semaine pendant six mois) « mais en l'absence d'un recours régulier aux comportements compensatoires ».

Il est important de signaler ici que les problèmes d'obésité ou de maigreur ne sont pas toujours occasionnés par les troubles des conduites alimentaires que nous venons de décrire. L'obésité, l'excès de poids, la suralimentation, la mauvaise alimentation ou la maigreur recouvrent des conditions très variées qui tiennent parfois des habitudes alimentaires familiales et culturelles.

Comment expliquer les troubles des conduites alimentaires

Les premières pages du récit d'Annick, qui décrivent la séquence d'actions rituelles et d'états affectifs caractéristiques de la crise boulimique, peuvent susciter de l'horreur ou, au mieux, de l'inconfort chez le lecteur. Tout y est : une période préalable de deux mois d'anorexie, c'est-à-dire de régime et de privation drastique de nourriture ; l'événement déclencheur d'un état affectif extrêmement douloureux et insupportable : une peine d'amour, une séparation ou une humiliation ; le désir irrésistible de recourir à un « scénario » qui a fait ses preuves : le gavage – les préparatifs fébriles du gavage et la consommation orgiaque d'une très grande quantité de nourriture, « la plus monstrueuse de ma vie » (p. 16). Après un moment de plus en plus bref d'état de conscience altérée et anesthésiée par la sensation d'être pleine, surgit chez Annick l'épouvante de se voir grosse, le dégoût de son corps, la honte d'en être arrivée là, la haine de soi, qui mène alors à l'automutilation et à la purge forcée afin d'éviter l'inévitable : engraisser. S'ajoutent aussi l'effroi d'une amie qui en est témoin, la honte d'être vue ainsi, la culpabilité de la faire souffrir et, ultérieurement, la dignité blessée et l'emploi perdu. Elle devient « une autre femme » (p. 17) ; la descente dans l'enfer de la boulimie s'amorce encore une fois – « Plus je me regarde, moins je m'aime, plus je mange, plus je me détruis » (p. 18).

Même Annick, celle d'aujourd'hui comme celle d'hier, s'explique mal le comportement de cette Annick boulimique. « Nous sommes deux. Celle qui est grosse m'est totalement étrangère » (p. 15). Comment peut-on en arriver là ? Mais surtout, comment expliquer qu'elle se soit infligé de telles souffrances pendant vingt ans, défendant avec l'énergie du désespoir son droit de recours au scénario familier d'horreur ?

Psychologues, psychanalystes et médecins psychiatres tentent depuis longtemps de répondre à ces questions que posent tant l'anorexie-boulimie que d'autres troubles de conduites « dépendantes » ou d'assuétude, et qui révèlent tous un mode particulier de relation aux personnes, aux objets et au corps. Les conduites de dépendance pathologiques sont multiples. « Il s'agit d'une notion descriptive qui désigne un champ : celui des conduites caractérisées par des actes répétés dans lesquels prédomine la dépendance à une situation ou à un objet matériel, qui est recherché et consommé avec avidité[4]. » En effet, le caractère impulsif et irrésistible de la crise boulimique l'apparente aux autres dépendances pathologiques, que ce soit l'alcoolisme, le tabagisme, la pharmacodépendance (aux substances licites ou illicites), le jeu compulsif, l'automutilation, certaines conduites sexuelles et bien d'autres encore dont la plus récente : la dépendance à Internet.

Une hypothèse très répandue explique toutes les assuétudes de la manière suivante[5]. Elles constitueraient une tentative désespérée de se guérir ou de se réguler en niant ou en anesthésiant des états affectifs perturbateurs et « submergeants ». De tels états induisent une sensation plus ou moins insupportable de désintégration, de fragmentation (perte extrême d'un sens de cohésion interne) ou une sensation plus ou moins insoutenable de vide ou d'affaissement qui s'apparente à la sensation de mourir (perte extrême d'un sens de vitalité). Chroniques récurrents, ces états sont associés à un mal de vivre issu d'expériences relationnelles passées et actuelles. Ce qui semble constituer le problème pour l'observateur extérieur, soit l'absorption d'une trop grande quantité de nourriture par exemple, est en fait la meilleure solution dont la personne dispose pour faire face à des problèmes beaucoup plus graves. Le symptôme n'est pas le mal profond. De là, bien sûr, les résistances de la personne au traitement qui impose l'arrêt de la conduite dépendante sans tenir compte de la souffrance sous-jacente.

L'utilisation compulsive de certains moyens pour obtenir des effets calmants ou stimulants semble être l'aspect le plus évident et commun à tous les troubles des conduites dépendantes. Certaines formules explicatives sont fréquentes : « Il boit pour oublier… », « Elle mange ses émotions… », « Elle mange trop parce qu'elle s'ennuie… » ou, pire encore, « Il (ou elle) n'a pas de volonté. » Ces tentatives d'explication ne sont pas nécessairement

---

4. Vénisse, J.L., *Les nouvelles addictions*, Paris, Masson, 1991, p. 42.

5. Un psychologue américain, D.F. Jacobs, a présenté au Congrès 2000 de l'Ordre des psychologues du Québec cette théorie explicative générale des assuétudes qui s'appuie sur la fonction dissociative de ces conduites.

erronées, mais limitatives et réductrices. En effet, elles ne tiennent pas compte de la multiplicité des motivations et des significations de toute action humaine, ni du fait que ces motivations et ces significations peuvent souvent se contredire chez un même individu[6]. «Elle (la nourriture) me sert de refuge, de punition, de calmant, d'élément destructeur», nous dit Annick dès le début de son récit. De plus, ces motivations et ces significations sont souvent ambiguës. Selon nos propres biais explicatifs, nous pouvons privilégier un sens ou un autre quand nous essayons de démêler les fils de la construction de tout symptôme comme de toute expérience humaine. Dans ce qui suit, je présente ma propre perspective d'interprétation, une interprétation parmi d'autres.

Cette perspective repose sur une vision du psychisme humain comme étant fondamentalement relationnel, vision que je partage avec un grand nombre de psychologues[7]. Le postulat central de cette vision pourrait se résumer comme suit : *l'expérience personnelle émerge, se construit et s'organise de façon continue dans le contexte des relations aux autres.* Cela implique que la conduite anorexique-boulimique d'Annick est un acte relationnel et ne peut être comprise que dans ses contextes relationnels présents et passés.

Le récit d'Annick illustre très bien cette complexité et cette ambiguïté de l'expérience d'assuétude ainsi que sa nature relationnelle. Le trouble de conduite dépendante – dans le cas qui

---

6. Freud a reconnu cet aspect de l'expérience humaine en élaborant une notion de surdétermination psychique des symptômes. Par la suite, R. Waelder (1930) a proposé un concept de «fonction multiple» pour rendre compte de la multiplicité des motivations et des significations des événements psychiques.

7. Je me réfère ici à un courant théorique et clinique émergent aux États-Unis, issu de la rencontre de deux grandes traditions en psychologie : la théorie psychanalytique et la théorie humaniste-existentielle, mais qui transcende celles-ci dans une perspective postmoderne. Ce courant est souvent désigné comme la psychanalyse relationnelle et regroupe diverses écoles de pensée comme la psychologie du Soi, les théories de l'intersubjectivité, des relations d'objet et d'autres. Voir S. Mitchell et L. Aron éd., *Relationnal Psychoanalysis : The Emergence of a Tradition*, Hillsdale, NJ, The Analytic Press, 2000.

nous intéresse, la consommation excessive de nourriture – a une double fonction paradoxale : il dissimule et exprime à la fois, à Annick et aux autres, les états émotifs douloureux, terrifiants et insoutenables résultant d'une expérience relationnelle. Annick dit : « Elle (la boulimie) remplace tout l'amour absent, elle me punit de n'être rien à mes yeux, elle est le seul moyen mis à ma disposition pour anesthésier ma douleur de vivre » (p. 16). La jeune femme recherche à la fois l'effet calmant, apaisant, de se sentir pleine. En plus d'anesthésier la douleur émotionnelle, cette sensation lui permet de se dissimuler à elle-même son terrifiant vide affectif. En même temps, l'effet douloureux punitif du corps gonflé à l'extrême concrétise et exprime cette douleur.

La plupart des experts en troubles des conduites dépendantes concluent que l'observation clinique de ceux-ci « nous ramène toujours à des carences narcissiques sérieuses et précoces entraînant des vécus dépressifs contre lesquels il s'agit de lutter à la fois par le comportement et par le corps[8] ». Le « vécu dépressif » d'Annick, celui qu'elle anesthésie par la nourriture ou qu'elle combat par le contrôle alimentaire, refait toujours surface. Comment expliquer cela, comment comprendre sa persistance ? Ces « carences » se conçoivent différemment selon les courants théoriques contemporains qui tentent d'expliquer le développement humain. La perspective que j'utilise ici est issue des théories de l'intersubjectivité, de la psychologie du soi et des théories psychanalytiques basées en partie sur de récentes observations empiriques du développement de l'enfant. Grâce à ces minutieuses données recueillies au cours des trois dernières décennies, nous commençons à reconnaître l'immense influence qui s'exerce entre l'enfant, même nouveau-né, et son environnement soignant. Il ne s'agit pas ici de blâmer les parents pour tout manquement ou dérapage dans le développement de l'enfant, mais plutôt de reconnaître ce que certains auteurs, paraphrasant Kundera, ont appelé « l'insoutenable enchâssement de

---

8. Vénisse (1991), déjà cité.

l'être», qu'il s'agisse du parent ou de l'enfant. L'enchâssement continu de l'expérience de soi dans les relations avec les autres signifie, entre autres choses, que notre estime de nous-mêmes, le sens de qui nous sommes et le sens même d'avoir une existence durable et distincte sont tous liés à des expériences de soutien et de validation empathique dans l'environnement humain. Or, nous avons un pouvoir plus ou moins grand sur les personnes importantes pour nous, ce qui génère toujours une tension qui peut parfois devenir insoutenable. À notre naissance, nous sommes «jetés», disait Heidegger, dans une matrice relationnelle familiale, sociale et culturelle dans laquelle nous nous construisons et nous développons continuellement. On ne fait que commencer à comprendre comment cette interaction façonne continuellement le psychisme et le comportement humain. Dans ce qui suit, je tenterai de résumer cette perspective, puis d'expliquer ce qui arrive à des personnes comme Annick.

Une conception du psychisme humain : le sens de soi et des autres

Dans la vie de tous les jours, et cela depuis notre naissance, consciemment et inconsciemment, nous donnons un sens à ce que nous vivons, à nos actions et réactions ainsi qu'à celles des autres, afin de nous comprendre et de comprendre le monde dans lequel nous vivons. Notre survie physique et psychologique en dépend. Nous avons besoin de prévoir, de prédire et d'influencer les événements en nous basant sur l'appréhension de nos désirs, de nos besoins et de ce que ces événements signifient. Cependant, quand nous faisons l'effort d'appréhender cette réalité, de réfléchir consciemment à qui nous sommes et à qui sont les autres, nous croyons parfois (ou nous aimerions croire) qu'il existe des vérités émotives ou des réalités objectives telles que celles que nous percevons. Par exemple, nous voulons être certains que nous sommes animés de bonnes intentions, ou encore que les autres en ont de mauvaises. Annick est convaincue qu'elle est sans valeur et que ses parents sont parfaits, ou encore elle cherche à se faire convaincre de l'inverse. C'est d'ailleurs sur cette conception rassurante de la connaissance qu'était fondée la science moderne ; rassurante puisqu'elle devait mener à des certitudes, à la « Vérité » ou à la « Réalité ». L'échec de plus en plus évident de cette poursuite de certitudes a donné lieu à l'avènement des philosophies et des sciences postmodernes. En effet, celles-ci reconnaissent que comprendre l'expérience humaine, aussi bien la sienne que celle des autres, tout comme le reste de l'univers, c'est la construire petit à petit en lui donnant un sens, consciemment, mais surtout inconsciemment, à partir de données brutes. Pour l'appréhender, nous construisons un *sens* du réel dans le contexte d'influences provenant du réel extérieur et du réel que nous avons déjà construit dans notre esprit. C'est ainsi que naît et se construit le psychisme de chaque être humain particulier. Tout ce que nous avons, c'est un *sens* de soi et des autres, un *sens* du réel. Il s'agit d'une expérience multiple et fluctuante, plus ou moins cohérente, plus ou moins continue, plus ou moins vivante et colorée positivement selon nos interactions passées et présentes avec les autres, et encore plus spécifiquement selon la validation que ce *sens* du réel a reçu et reçoit des autres.

Le *sens* de soi et des autres – le psychisme humain – est donc continuellement construit à partir de l'organisation de ce qui est donné, et cela depuis les premiers moments de notre vie. Cette élaboration a donc commencé avant même que nous puissions réfléchir sur cette expérience et l'exprimer verbalement. Nous verrons plus loin comment elle joue concrètement dans l'interaction de l'enfant avec les personnes soignantes, afin de mieux comprendre le développement problématique des personnes comme Annick. Organiser et réorganiser ce qui est donné, c'est interpréter et réinterpréter continuellement, c'est donner un sens à la réalité brute, au ressenti interne comme aux événements et aux faits que nous ne pouvons pas connaître directement, sans médiation. Les données brutes incluent nos états internes, les événements, les faits indéniables du présent, les contributions actuelles des autres personnes. Mais elles incluent aussi nos expériences relationnelles passées comme nous les avons organisées et encodées en mémoire sous forme de significations, d'attentes ou de règles de relation. Un peu comme un logiciel qui traite l'information, ces significations, ces attentes ou ces règles issues du passé, plus ou moins modifiées par les expériences subséquentes, façonnent à notre insu le sens que nous attribuons aux données brutes de notre expérience immédiate dans les contextes relationnels présents. En d'autres mots, nous percevons et nous vivons en grande partie ce que nous nous attendons à percevoir et à vivre, sinon notre expérience vécue serait beaucoup trop incohérente et chaotique, ou encore trop onéreuse à organiser. Ces attentes constituent une sorte de « prêt-à-penser » ou de « prêt-à-vivre » sans lesquels nous serions perdus. Ce tissu de nos expériences nous donne le sentiment d'être un « je » plus ou moins reconnaissable et continu, d'être plus ou moins la même personne d'un état à un autre, d'un événement à un autre. En d'autres mots, il donne un *sens* de soi plus ou moins cohérent. Il y a cependant place pour la surprise ou la déception dans nos attentes, donc place pour des différences, de nouvelles expériences. Il y a donc place pour une adaptation, dans la mesure où nos attentes ne sont pas trop rigides, où nos certitudes, notre « prêt-à-penser » et notre « prêt-à-vivre », peuvent être remises en question à un degré tolérable par du « non-encore-pensé » ou du « non-encore-vécu » en relation aux autres. À un degré optimal, nos attentes sont relativement flexibles. Elles forment des « savoirs relationnels » implicites et explicites, conscients et inconscients, en constante évolution et qui contribuent, avec les données brutes externes, à organiser continuellement notre expérience de manière souple et adaptative. Elles transforment et sont transformées par l'expérience relationnelle continue : c'est le développement qui ouvre sur un *sens* de soi et des autres de plus en plus riche, authentique, complexe, différencié et vivant, ainsi que sur des relations riches, différenciées et vivantes avec les autres.

Vicissitudes et impasses du développement psychologique : l'émergence des symptômes

L'optimal est toujours relatif ; personne ne naît et ne grandit dans un environnement sans vicissitudes. Comme nous le verrons aussi un peu plus loin, lorsque les premières expériences relationnelles sont surtout malheureuses, les attentes prédominantes[9] (le « prêt-à-penser » et le « prêt-à-vivre ») seront négatives et elles deviendront rigides ; elles organisent alors le sens de soi et des autres sur un mode défensif. Mais ce système protecteur de la cohésion et de la vitalité du sens de soi et de ses liens avec les autres limite le développement psychologique et mène parfois à une impasse. La personne a alors recours, en dehors de sa volonté ou de sa réflexion consciente, à des stratégies défensives multiples pour ne pas ressentir ou savoir consciemment certaines choses et pour protéger ce qu'elle a besoin de croire avec certitude au sujet d'elle-même, des autres et du monde.

Nous sommes donc constamment actifs pour protéger et restaurer la cohérence, l'intégrité et la vitalité de l'expérience d'être soi, de notre réalité subjective et de nos liens avec les autres. La théorie psychanalytique contemporaine parle de refoulement, de dissociation, de clivage, de déni ou de désaveu pour désigner toutes ces opérations de sécurité par lesquelles nous organisons couramment nos expériences émotionnelles. Nous le faisons de manière à nous éviter de reconnaître ou de ressentir ce qui nous semble inacceptable, intolérable ou trop dangereux. Il en résulte parfois une absence de sens de la souffrance : nous ne savons pas pourquoi nous nous sentons si mal, un état en soi insupportable. Nous tentons alors d'éviter cet état en l'anesthésiant, en le niant ou en déguisant l'expérience par des sens plus acceptables ou moins menaçants, pour nous-mêmes ou pour nos liens avec les autres. C'est souvent alors que notre discours contredit nos

---

9. Le psychanalyste français René Roussillon utilise une expression heureuse pour désigner ces attentes : nos « théories de la souffrance et de la guérison » conscientes et inconscientes.

actions ou que notre discours lui-même se contredit. Un tel système immunitaire ou d'autoprotection psychique restreindra plus ou moins les horizons de notre monde subjectif ainsi que notre développement.

Parfois cependant, les moyens ordinaires d'autoprotection psychique ne suffisent pas parce que les situations auxquelles nous sommes exposés provoquent des états de stress «submergeants» et intolérables. Qu'on pense à un événement traumatisant ou encore au changement des impératifs physiologiques et psychosociaux à notre endroit, lors du passage de l'enfance à l'adolescence. Nos «boucliers» ordinaires sont débordés; nous nous sentons près «d'éclater en morceaux» ou encore de «tomber dans le vide». Ces sensations créent des états anxieux insoutenables. Il y a alors crise dans l'adaptation psychologique de la personne: le *sens* de soi est défaillant, fragmenté, affaissé, les liens sont menacés. Et il faut avoir recours à des moyens plus extrêmes pour tenter d'éviter ce qui est vécu comme une menace à l'intégrité et parfois à l'existence même. C'est ainsi qu'apparaissent des «symptômes cliniques», des tentatives de guérir en continuant de ne pas ressentir ces états anxieux ou de ne pas reconnaître leurs significations profondes. On ne saurait trop insister sur les fonctions positives de tout symptôme. L'étymologie grecque du mot lui-même (*sym*: ensemble, et *tom*: tomber) décrit bien ce phénomène par lequel est organisée et limitée la fragmentation du sens de soi. Nous verrons plus loin comment les symptômes expriment ces significations en même temps qu'ils les cachent.

C'est à ce stade que plusieurs personnes découvrent, apparemment par hasard, l'effet anesthésiant d'une substance chimique, d'une activité comme le jeu compulsif, ou tout simplement l'effet de se gaver de nourriture. Annick décrit très bien cette découverte dans sa vie perturbée d'adolescente de treize ans (p. 20). Cette découverte deviendra pour elle la seule «issue de secours» (p. 23) à l'anxiété «submergeante» devant une séparation. Comme pour beaucoup de personnes anorexiques-boulimiques, l'adolescence est un passage qu'Annick prend très mal et au cours duquel tout dérape : « J'ai mal grandi », dit-elle. Elle devient, comme beaucoup d'adolescents, « agressive, révoltée et impertinente ». Elle semble jusque-là avoir été vaguement heureuse et adaptée, très attachée à sa mère, dans un milieu familial où, en apparence, « il ne manquait de rien… (où) tout était parfait », si ce n'est « un je ne sais quoi de vivant » (p. 19). Plus elle grandit, plus les séparations d'avec sa mère provoquent chez elle une détresse intolérable : « Je pourrais en mourir », dit-elle. Tout est en place pour faire la découverte de l'effet anesthésiant de la nourriture : à treize ans, seule à la maison en l'absence de sa mère, envahie par la peur, elle dévore rapidement une boîte de biscuits. Le goût du sucre l'apaise et elle se sent « plus détendue, comme engourdie ». Cinq ans plus tard, elle note encore « cette sensation éphémère et fugace de bien-être, un très court instant, au moment précis où je sens mon estomac se remplir » (p. 33). C'est ce que des auteurs et des cliniciens décrivent comme un état hypnotique de transe, une coupure sensorielle et perceptuelle de l'environnement extérieur, et un état subjectif de torpeur, de détachement émotionnel, de coupure du ressenti émotif. Cet état de transe anesthésiante est parfois associé à des trous de mémoire et à une perte de repère temporel.

Cependant, la « découverte » du pouvoir apaisant de la nourriture n'est probablement pas l'effet du hasard. Annick et sa mère ont un plaisir en commun : la gourmandise, le « goût pour les gâteaux et les sucreries » (p. 20). Il semble à la jeune fille que ce plaisir partagé avec sa mère est le seul moment où celle-ci rit, semble heureuse, la reconnaît avec joie : « Tu es bien ma fille. » Le reste du temps, Annick perçoit avec anxiété « une brisure » chez sa mère : elle n'est pas heureuse, « elle a l'air triste ». On note d'ailleurs dans les livres spécialisés que la plupart des personnes anorexiques et boulimiques ont eu avec la nourriture un rapport particulier inscrit dans leurs rapports affectifs avec leurs parents. Chez Annick, l'accoutumance se consolidera dans une conduite nettement boulimique, au moment où elle quittera sa mère pour le pensionnat : l'attachement à la nourriture « comme un sein maternel » (p. 19) a remplacé l'attachement anxieux et obsédant à sa mère. « Chaque fois que je m'éloignerai de ma mère, je remplirai ce vide de nourriture, chaque fois que l'on m'abandonnera, je me remplirai… à ma façon» (p. 28). Mais cet attachement deviendra infernal, autodestructeur et violent. C'est là tout le paradoxe des TCA: un remède à la douleur psychique en même temps qu'un asservissement violent du corps et de ses besoins alimentaires. Pourquoi en est-il ainsi?

Donner un sens à ce qui se vit et qui tente de s'exprimer

Le symptôme ne fonctionne pas seulement comme une adaptation dissociative, c'est-à-dire un anesthésiant de la souffrance et une dissimulation de ses significations dans une tentative désespérée de restaurer un sens de soi défaillant. Il exprime aussi, à qui peut le comprendre, des états émotifs douloureux résultant de l'expérience relationnelle présente et passée, ce «mal-être», comme le dit Annick, mystérieux et persistant. «Je ne sais pas parler de ma souffrance. À la place, je mange» (p. 78). Annick décrit très souvent comment «il régnait à la maison un silence pesant. On ne riait jamais, l'angoisse planait tout le temps» (p. 77). Plus loin, elle affirme de façon saisissante: «… le silence a verrouillé toute mon enfance… Silence des mots, silence du cœur: la mort doit ressembler à cette négation des sentiments, à ces bouches ouvertes et muettes» (p. 88). Et pourtant, «je suis de plus en plus mal dans ma peau d'adolescente» dit-elle, «et je ne sais pas à qui en parler et surtout comment le dire» (p. 21). Elle mettra presque quarante ans pour trouver, à la suite de Marie Cardinal, «les mots pour le dire», et elle le fait de façon très touchante dans ce récit.

Mais abordons l'aspect herméneutique du phénomène des TCA, c'est-à-dire l'adoption d'une perspective d'interprétation du symptôme comme signifiant d'un sens de soi souffrant, pris dans une impasse de son développement. D'ailleurs, tenter de comprendre Annick, co-construire des significations émotionnelles guérissantes à sa souffrance telle qu'elle se vit et se manifeste dans le contexte de notre relation et dans le contexte de sa relation aux autres présente et passée, c'est ce qui se retrouvera au cœur de chaque moment de notre entreprise thérapeutique. Je présente ici les grands principes, ou hypothèses théoriques, du développement psychique de l'enfant qui inspirent ma participation dans le dialogue avec des personnes comme Annick. Étant donné que mes rencontres avec Annick ont eu lieu il y a plusieurs années, je n'ai pas conservé mon dossier écrit sur le processus (je conserve les dossiers pour une période de cinq ans après la fin d'un processus thérapeutique). Plutôt que d'essayer de reconstituer de mémoire ce dialogue, j'appliquerai ces hypothèses au récit d'Annick.

Le développement humain et ses traumatismes

Traditionnellement, la plupart des théories du développement[10] de même que le sens commun populaire issu de notre culture occidentale conçoivent la croissance de l'enfant comme une séquence d'étapes linéaires qui le mène de la dépendance la plus complète à l'autonomie adulte, ou de la symbiose avec l'autre à l'individuation. Selon cette vision, les difficultés d'adaptation et les troubles pathologiques découlent d'un déraillement de ce processus à cause d'une fixation à un stade de développement ou d'une régression à un stade antérieur de dépendance. Annick semble d'ailleurs, dès la préadolescence, connaître l'anxiété de la séparation d'avec sa mère et le désir de symbiose avec elle. Elle écrit : « ... l'envie de me fondre en elle et de rester là, des heures et des jours » (p. 51). Elle veut grandir, faire face à sa vie d'adulte, mais en semble incapable. Bien des tentatives de quitter la maison familiale vont échouer, à sa grande honte. Au moment de la rupture avec Jean, elle décrit de façon poignante la terreur qui la guette au moment de toute séparation : « Je ne peux pas couper le cordon. Ce déchirement est inhumain et insupportable, le mal qu'il me fait vient de loin, d'un passé que je ne connais pas, d'un

---

10. La plus connue de ces théories est celle de Margaret Mahler et de ses collaborateurs (1975).

161

passé dont personne ne veut ou ne peut me parler. Que m'arrivera-t-il si je me retrouve seule ? C'est plus que de la peur : de la terreur… Qu'ai-je fait de mal ? » (p. 86).

Nous allons justement essayer de jeter un peu de lumière sur ce passé. Grâce aux recherches récentes, nous avons maintenant une vision moins linéaire du développement de l'enfant. Cette vision ouvre une perspective clinique beaucoup plus complexe, plus nuancée sur les troubles vécus par des personnes comme Annick. Ce qui pouvait être vu comme une fixation ou une régression à un stade de développement antérieur, celui de la dépendance ou de la symbiose, est maintenant vu comme la meilleure réponse adaptative de la personne à son expérience de vie. Comme nous l'avons vu plus haut, l'accent est mis sur le développement non linéaire de l'organisation de plus en plus complexe et différenciée d'un sens de soi en relation aux autres plutôt que sur le développement linéaire vers l'individuation, la séparation et l'autonomie. La dépendance aux autres, lorsqu'elle est considérée comme une étape qui doit être dépassée, a un sens péjoratif, mais celui-ci est considérablement modifié dans les conceptions récentes du développement par une revalorisation nuancée de l'importance de pouvoir se fier à la relation aux autres. C'est l'expérience de la fiabilité de la relation aux autres qui permet le développement d'un sens de soi suffisamment sécurisé pour s'ouvrir au nouveau et à l'inconnu de la vie adulte ainsi qu'à de nouveaux liens d'attachement. Continuer à se développer vers plus de complexité et de différenciation implique une base solide. Elle permet de maintenir la stabilité de l'organisation du sens de soi et de ses liens d'attachement aux autres tout en s'ouvrant au chamgement pour les enrichir d'expériences nouvelles. En d'autres mots, nous ne passons pas de la dépendance à l'indépendance, mais notre interdépendance se construit toute notre vie de manière à nous permettre une individuation de plus en plus riche et différenciée. Pour Annick, la tâche de développement à faire ne consiste pas à se séparer nettement de sa mère, mais plutôt à contenir la tension des expériences variées d'union et de différenciation entre elle et sa mère, puis entre elle et les autres. Pourquoi est-elle alors dans une impasse quant à cette tâche de développement? Comment comprendre la boulimie comme tentative de solution à cette impasse?

Lorsque l'expérience de la relation aux autres est trop malheureuse, les savoirs implicites et explicites accumulés durant la vie d'une personne lui font ressentir que les autres apportent non seulement quelque chose de bon, mais représentent aussi un danger. Ils peuvent en effet engloutir et détruire autant que soutenir ou raviver. Investir dans le lien ou se différencier de l'autre présente donc pour la personne le risque d'être dévastée à nouveau, au-delà de ce qu'elle peut contrôler. C'est alors qu'elle recourt à des stratégies particulières de sécurité qui, en privilégiant le prévisible, lui permettront de survivre. Mais ce faisant, elle restreint son ouverture à l'expérience nouvelle, donc à la vie.

Les recherches récentes sur les modes d'attachement[11] ont mis en lumière la persistance et la continuité de ces stratégies de sécurité qu'on a pu observer tant chez le bambin d'un an que chez l'adulte, bien qu'elles atteignent chez celui-ci un niveau d'organisation beaucoup plus sophistiqué. La chercheuse américaine Mary Ainsworth a pu déceler, grâce à ses observations systématiques, des réactions d'enfants d'un an à la séparation et à la réunion avec leur mère, des ensembles de comportements d'attachement qu'elle a nommés «sécurisés et insécurisés». Ces comportements ont tendance à se maintenir et à préfigurer le développement social et psychique ultérieur de l'enfant. L'attachement de type sécurisé et confiant au parent représente une base fiable pour l'exploration du monde extérieur, et aussi du monde intérieur des préférences personnelles, des désirs, des impulsions – ce que Winnicott appelle «les gestes spontanés». Lorsque cette sécurité est absente, l'espace subjectif intérieur et extérieur se trouve rétréci et le développement tronqué. Quand

---

11. Je fais ici référence aux recherches empiriques issues des travaux de Bowlby (1969, 1973, 1980) sur l'attachement, continuées par Ainsworth (1962 à 1989) et, plus récemment, par Sroufe et Main (1993).

le bambin d'un an est sécurisé et confiant quant à son lien à la mère, il sollicite le réconfort de celle-ci pour se calmer après la séparation et il peut ensuite retourner à ses jeux. Si tout se passe assez bien ultérieurement, cet enfant devenu adulte pourra utiliser ses liens avec les autres, en alternance souple avec ses capacités à se différencier d'eux. Le bébé d'un an qui présente un type d'attachement empreint d'anxiété qu'Ainsworth appelle « non sécurisé-évitant » ne semble pas réagir à la séparation de la mère et reste activement loin d'elle à son retour. Si ses expériences relationnelles subséquentes ne transforment pas son type d'attachement prédominant, il risque de devenir un adulte fermé, emmuré, froid, distant dans la plupart de ses relations, tout en ayant l'air d'« être là » et d'être adapté. D'autres bébés d'un an sont paralysés par l'ambivalence anxieuse. Incapables d'être réconfortés par la mère à la suite d'une séparation, ils alternent entre s'accrocher à elle et la repousser. On dit alors de ce mode d'attachement qu'il est « non sécurisé-ambivalent/résistant ». De tels bébés risquent de devenir des adultes semblables à Annick qui paraît constamment « tiraillée entre la haine et l'amour ». À l'extrême, ils seront incapables de vivre à la fois avec et sans les autres. L'insoutenable déchirement qui accompagne ce type prédominant d'attachement non sécurisé aux personnes poussera Annick à se fier à la nourriture et aux rituels alimentaires pour remplacer celles-ci. Les chercheurs ont de plus noté que ces adultes, une fois devenus parents, avaient souvent des enfants qui présentaient les mêmes types prédominants d'attachement « sécurisé ou insécurisé » ; la tendance à la transmission psychique transgénérationnelle se revérifie.

Il nous est facile de comprendre que l'enfant qui subit des traumatismes massifs dus à des réponses abusives de son environnement, qu'elles soient d'ordres sexuel, physique ou psychologique, soit insécurisé dans son attachement aux autres et qu'il puisse avoir besoin de survivre en évitant ou en repoussant l'autre, tant cet Autre à l'extérieur que celui qu'il a encodé en mémoire. Parfois, c'est ce qui n'a pas été fait à l'enfant qui est la source de difficultés : la négligence, l'absence des parents. Mais entre ces deux extrêmes, il y a ce que les cliniciens et les théoriciens appellent le « traumatisme du développement ordinaire ». Il s'agit de perturbations chroniques non réparées dans l'interaction ordinaire et quotidienne entre l'enfant et son environnement soignant. Celles-ci se produisent souvent subtilement lorsqu'une portion centrale des besoins ou des états affectifs de l'enfant est rarement, sinon jamais, reconnue de façon empathique ou partagée par les soignants, probablement parce que ces besoins ou ces affects menacent l'équilibre, la sécurité psychologique des adultes soignants. L'enfant se mettra alors à croire que ce type de perturbation n'est pas réparable, que ses états affectifs et ses besoins particuliers sont non partageables et même défectueux.

Les observations récentes des chercheurs ont mis en évidence un dialogue émotif continu entre l'enfant et ses soignants. Même le nouveau-né est un partenaire social très actif dans ce dialogue au cours duquel il émet des signaux affectifs et sensorimoteurs de ses états et de ses besoins. Quant à la sensibilité des réponses, elle peut être très variable selon les limites habituelles ou ponctuelles de la disponibilité émotive des parents à l'enfant. On peut dire que l'expérience psychique de l'enfant prend sa forme particulière dans les réponses qu'il fait à son histoire des réponses parentales.

Essayons d'illustrer ces variations et leur effet sur le développement du monde subjectif de l'enfant[12]. Prenons par exemple un seul des besoins de celui-ci, celui d'être apaisé dans ses états de détresse, qui se trouve justement mis en lumière par les recherches sur les types d'attachement. Dans les meilleurs des cas, les parents seront suffisamment disponibles pour permettre à l'enfant de développer l'anticipation que ceux-ci offriront le réconfort dont il aura besoin dans ses moments de perturbation.

---

12. Je m'inspire ici d'une construction hypothétique de l'expérience intersubjective entre enfant et parents proposée par J. Lichtenberg dans une présentation à la 22ᵉ Conférence internationale annuelle de la Psychologie du Soi, à Toronto, en 1999.

L'enfant développera alors un sens de soi assez sécurisé et cohérent, et il sera ouvert de façon flexible à de nouvelles situations parce qu'il aura la confiance que ses perturbations, qui pourront être suivies d'un retour à un état plus positif, sont donc réparables. Par contraste, un parent préoccupé, dépressif ou anxieux peut alterner entre des moments de sensibilité aux besoins d'apaisement du bébé et d'autres moments où prédominent ses propres peurs d'être inadéquat comme parent ou autrement, ses propres états de honte, de détresse ou de colère. Ce parent peut alors reporter sur l'enfant ses préoccupations ou son besoin d'être rassuré, et rejeter plus ou moins explicitement l'enfant si celui-ci n'y répond pas. L'enfant devra s'adapter aux oscillations imprévisibles de ses parents en développant sa propre stratégie ambivalente : il s'accrochera anxieusement, n'arrivera pas à s'éloigner de façon confiante et repoussera tout ce qui lui est offert comme réconfort. Hypersensible aux états perturbés de ses parents, il devient parfois précocement un donneur de soins et, plus tard, se videra à prendre soin des autres en désavouant son propre besoin de recevoir. Parmi les personnes qui ont eu une telle enfance, on trouve beaucoup de psychothérapeutes susceptibles de souffrir de « l'usure de la compassion » s'ils ne changent pas leurs motivations profondes. D'autres, parmi ces enfants, deviennent des adolescents et des adultes insatiables, comme Annick, parfois tyranniques – en tentant de manipuler les autres –, parfois passifs – en tentant de se manipuler eux-mêmes – dans leur recherche de soin et de reconnaissance. Ils sont éternellement victimes des autres. D'autres alternatives sont possibles. Certains parents, même s'ils semblent totalement dévoués aux tâches parentales, sont rarement, sinon jamais, en mesure de manifester de l'affection chaleureuse et réconfortante à l'enfant, souvent parce qu'eux-mêmes n'en ont pas reçu comme enfants. On se rappellera que toute pratique relationnelle est encodée très tôt en mémoire. Réciproquement, tout besoin ou désir de dépendance de leur enfant ne peut être reconnu. L'enfant devra alors apprendre à supprimer ses propres désirs de proximité affective réconfortante, à supprimer également sa douleur et sa colère reliées à l'expérience de rejet. Les pratiques relationnelles de ces enfants avec leurs pairs à l'école risquent d'être marquées par le harcèlement agressif des plus vulnérables ou par l'évitement social. Les vies affectives de ces personnes adultes risquent de devenir marquées par la violence ou rétrécies et arides.

Voilà quelques illustrations très schématisées de la façon dont se construit le monde subjectif d'un enfant à partir du début de la vie, de la façon dont certains états affectifs ou besoins deviennent accessibles à son expérience de soi et des autres, ou en sont dissociés selon qu'il a fait l'expérience de réponses émotives et verbales empathiques validantes ou invalidantes de la part des personnes soignantes. Le développement de la vie psychique et relationnelle de l'enfant en sera profondément marqué. C'est dans ce contexte dynamique que les TCA, en servant de système substitutif et expressif, prennent tout leur sens.

Le développement des TCA : un système substitutif et expressif

La description qu'Annick fait de ses relations avec sa famille, surtout à partir de son adolescence, correspond au type d'attachement « insécurisé-ambivalent/résistant » observé chez des bambins d'un an. Annick éprouve un besoin insatiable d'être réconfortée, d'être rassurée sur le fait qu'elle est aimée et aimable, tout en ayant une attitude d'ingratitude, un comportement de rejet envers tout ce que lui offrent ses parents. Elle ne peut pas se séparer d'eux et s'ouvrir à la vie adulte tant qu'elle n'est pas rassurée. Elle ne semble pas non plus pouvoir s'approcher d'eux pour obtenir cette « rassurance ». Au contraire, soit qu'elle réussit à les plier à tous ses caprices – ce qui ne la rassure pas réellement – soit qu'elle les provoque et les agresse pour se confirmer qu'elle « les emmerde ». Combien d'adolescents et de parents d'adolescents reconnaîtront ici quelque chose de familier, même en l'absence de TCA ?

Comment Annick en est-elle arrivée là ? Si nous considérons son récit dans l'optique des hypothèses théoriques précédentes, nous pouvons construire une explication approximative de sa réalité d'enfant. Rappelons que nous ne parlons pas ici de la réalité objective, qui correspond aux faits, mais de la réalité subjective, construite et comprise de façon empathique. Annick semble avoir été imprégnée très tôt par les expériences émotives dominantes chez ses parents. Elle est très proche affectivement d'une mère « triste » et aimante, et elle se sent très peu appréciée d'un père qui lui semble sérieux, intransigeant et probablement très anxieux. À un niveau encore plus profond, elle paraît envahie par la tristesse lasse de sa mère, par sa « brisure ». En guise de réponse, elle « a envie de lui faire plaisir, ... (parce qu'elle a) l'impression que personne ne s'occupe d'elle » (p. 19). Annick restera toute sa vie hypersensible aux états émotifs de sa mère, une femme « dévouée », « muette », qui souffre probablement de son existence dans l'ombre et au service d'un homme qui semble centré uniquement sur la réalisation professionnelle. « Je n'aime pas penser que maman puisse être malheureuse » (p. 26), dit Annick. Plus tard elle écrit : « Mon cœur se serre à la vue du regard de maman » (p. 46). Elle réagit en rejetant son père et en se collant à sa mère, à qui elle tente probablement d'apporter les rares moments de joie de sa vie. Durant ces moments, Annick se sent reconnue, aimée et aimable. Peut-être espère-t-elle aussi insuffler à sa mère une vitalité, une force sur lesquelles elle pourrait compter dans ses propres moments de détresse. Annick n'est pas capable de dire à sa mère son désarroi d'adolescente ; « elle n'y pourrait rien » (p. 21), écrit-elle. Elle aurait besoin d'un modèle de femme adulte qui puisse non seulement identifier et exprimer ses besoins de connexion affective aux autres, mais aussi affirmer ses besoins de différenciation, qui est l'exercice de la liberté face aux besoins des autres, sans quoi l'attachement devient aliénant. Mais comme bien des femmes de sa génération dans notre culture (nous reviendrons plus loin sur le contexte culturel), la mère d'Annick n'arrive pas à contenir la tension inévitable entre ces deux pôles de besoins. Comment peut-elle alors servir de modèle à sa fille ? Et comment Annick peut-elle aspirer à une vie plus satisfaisante que celle de sa mère sans sentir qu'elle abandonne celle-ci à son sort ? « ... Je deviens dangereusement elle», écrit-elle (p. 20). À un niveau primaire, la peur paralysante de l'abandon chez la mère est devenue celle d'Annick, qui éprouve le sentiment d'être «une ombre, mise à l'écart» (p. 21), d'être invisible pour le père; elles sont prises ensemble dans leur solitude triste, familière et dévalorisante. Plus tard, avec Jean, un homme semblable au père et qui porte le même prénom, elle deviendra, comme sa mère, «la femme de Jean» (p. 73), pour tenter de faire sienne la réussite, la perfection de son homme et de restaurer le sens défaillant de sa valeur personnelle.

Annick est cependant différente de sa mère. Elle est très vive, elle aime rire, elle est sensuelle, elle n'est pas résignée et refuse de se taire. Elle devient «agressive, révoltée et impertinente» (p. 21) dans cette maisonnée où «règne toujours la loi du silence» (p. 23), où la maîtrise de soi est valorisée, la fragilité cachée, et où une sœur «toujours sage, bien élevée» réussit comme son père. Il est également possible qu'Annick exprime la colère de sa mère muette en même temps que la sienne propre. Elle deviendra provocante, accusatrice, tyrannique et... boulimique. Son état de détresse non partageable avec les siens est humiliant, honteux, et elle va inverser les rôles: elle va agresser, humilier sa famille parce qu'elle est inadéquate avec elle, et même lui faire peur. Commence alors la bagarre d'Annick avec les autres, mais aussi avec elle-même, «pour couper le lien maternel si fort qui [l']empêche de vivre» (p. 34). Annick dit constamment qu'elle se débat contre «des démons». Ses conquêtes amoureuses la rassurent momentanément, mais les «démons» refont toujours surface. Cette appellation semble désigner pour Annick le grand vide, un trou béant dans son être, ou encore «le besoin démesuré d'amour, de preuves d'amour, de paroles... » auquel sont rattachées la haine, la rage, la honte, la terreur. Ces «démons» vont se concrétiser et s'exprimer dans la symptomatologie boulimique.

En effet, l'anorexie-boulimie concrétise et manifeste dans le corps les besoins affectifs relationnels particuliers qui ne semblent pas pouvoir trouver de réponses dans l'environnement et, également, la douleur psychique qui en découle. Elle leur substitue les besoins corporels d'alimentation, des besoins que l'adolescente peut satisfaire seule et/ou contrôler et même tyranniser, localisant ainsi la douleur dans son estomac. Parce que les besoins corporels sont urgents et inévitables, ils sont particulièrement susceptibles de concrétiser vivement les besoins «submergeants» de la petite enfance. «Je n'ai besoin de personne, je me suffis à moi-même», dit l'anorexique-boulimique aux autres en substituant ses besoins corporels alimentaires à ses besoins de lien affectif. À chaque séparation, à chaque rupture, Annick rentre dans une frénésie boulimique. En déplaçant ainsi l'expérience de dépendance affective sur le corps et ses besoins, celle-ci devient non-soi, comme une personne autre que soi, clivée, hors du contrôle par la volonté consciente, parfois vécue comme une entité étrangère. Dans le cas d'Annick, ce sont «des démons», donc une expérience dissociée du sens de soi habituel de la personne. «Je ne suis plus moi-même, dit Annick. Nous sommes deux. Celle qui est grosse m'est totalement étrangère» (p. 15). Certaines personnes appelleront cette étrangère «le monstre», d'autres, «la petite fille…». De là l'expression «C'est plus fort que *moi*…» en parlant de la compulsion boulimique comme un «ça» incontrôlable par le moi connu. Une psychanalyste spécialisée dans le traitement des TCA, Susan Sands, parle même d'un «soi boulimique» pour bien symboliser ce clivage vertical du sens de soi de la personne en deux parties qui alternent dans la conscience du sujet. Le «soi ordinaire et habituel» est possédé, submergé et souvent saboté par les comportements boulimiques compulsifs, donc par le «soi boulimique»[13]. Par ailleurs, et paradoxalement, les conduites anorexiques-boulimiques sont en même temps des tentatives d'affirmation

---

13. Le terme «soi» qui est utilisé ici ne réfère pas à une chose, à une entité ou à une structure fixe; il constitue une métaphore pour désigner toujours un *sens* de soi subjectif ou encore, comme ici, l'organisation discontinue de l'expérience de soi comme s'il s'agissait de deux personnes, laquelle manifeste une expérience relationnelle conflictuelle.

de soi, de différenciation et d'autonomie, puisque la personne ne les adopte que pour elle, et non pas pour les autres, pas pour ses parents. Souvent, aussi, elle les adopte contre les autres, alors que le «soi ordinaire et habituel», lui, est conforme aux besoins des parents. La personne souffrant de TCA se définit et est définie par sa relation aux conduites alimentaires rituelles, une relation intense, obsessive. Renoncer à ses symptômes équivaut à renoncer à soi.

Quels sont ces besoins et ces états affectifs invalidés d'Annick qui se concrétisent et s'expriment dans le «soi boulimique» clivé? Pourquoi cette tentative désespérée d'affirmation et de différenciation de soi qui va jusqu'à la rage autodestructrice dans une violence inouïe? Nous n'avons pas accès au monde subjectif des parents mais, comme nous l'avons élaboré plus haut, nous pouvons percevoir et sentir dans le récit d'Annick à quel point elle ne se sent pas reconnue positivement dans sa vitalité particulière, sinon par sa mère, elle-même très dévalorisée. En plus, elle semble ne pas s'être sentie comprise et acceptée dans sa détresse, percevant que celle-ci est non recevable par les membres de sa famille et peut-être même dommageable pour eux. Lorsque les parents dépassés demandent de l'aide médicale et psychiatrique, les intervenants semblent tous chercher à éliminer le symptôme, à rétablir «l'ordre», sans chercher à comprendre ni Annick ni la famille. Les parents sont eux aussi abandonnés à leur souffrance et aux limites de leurs ressources. La souffrance d'Annick est non communicable, coupable et honteuse, comme le confirment sa famille et la société.

Comme nous l'avons vu plus haut, l'attachement à la nourriture et à ses rituels qui a remplacé l'attachement aliénant aux autres, est contrôlé et protégé avec ardeur. Annick, comme bien d'autres personnes anorexiques-boulimiques, se sert de la nourriture pour tenter de s'apaiser, de se réconforter dans ses états douloureux de honte, de rage ou de dépression, dans toute situation d'échec ou de séparation, convaincue de ne pas pouvoir compter sur les autres pour la comprendre et l'apaiser. Mais, paradoxalement, les rituels de gavage ou de privation de nourriture représentent aussi des moyens de contrôler et de circonscrire l'expérience psychique douloureuse de la relation aux autres en la concrétisant dans le corps. Annick décrit ce processus quand elle écrit qu'elle ne connaît « qu'une manière de faire taire ce sentiment » de peur devant les approches amoureuses de Philippe qui menacent son autosuffisance : « l'étouffer, y entasser des monceaux de nourriture… *Avec les aliments, je sais quoi faire…* » : engloutir la nourriture « jusqu'à ce que mon estomac me fasse souffrir » (p. 58 ; c'est nous qui mettons en italique). En se bourrant de nourriture jusqu'à l'intolérable, Annick concrétise l'expérience d'être submergée par un affect intolérable. En se purgeant, elle concrétise la solution : se débarrasser de cet affect intolérable. Par ailleurs, les périodes d'anorexie d'Annick représentent la domination absolue sur ses besoins d'alimentation/besoins affectifs, qu'elle élimine de cette façon. Les rituels de se nourrir ou de ne pas se nourrir ont remplacé l'attachement à l'Autre, vécu comme non fiable et non disponible. Mais la cruauté des conduites anorexiques-boulimiques, le manque d'empathie pour le corps et les besoins corporels de l'anorexique-boulimique peuvent en même temps être vus comme une concrétisation du manque d'empathie pour certains états ou besoins que la personne a vécu enfant.

Certains auteurs reconnaissent cette polarisation psychique en parlant de représentations dichotomisées de l'objet maternel (« la bonne mère » et « la mauvaise mère ») ou du « faux soi » et du « vrai soi », ou encore du « soi corps » et du « soi psychique ». Susan Sands estime qu'il est plus utile cliniquement de voir le contrôle violent du corps comme une tentative de subjuguer la partie du soi « en besoin », comme un déni des besoins et des états affectifs intolérables et désavoués dans l'interaction avec l'environnement.

La symptomatologie des TCA est toujours paradoxale. Elle a un sens à la fois négatif et positif, à la fois autodestructeur et affirmatif, puisqu'elle concrétise et exprime une expérience psychique et relationnelle conflictuelle qui a mené le développement de la personne dans une impasse et qui a créé un conflit intérieur fragilisant. Il ne s'agit pas seulement de l'expérience d'une « carence », d'un manque de réponses empathiques, mais aussi de ce que l'enfant élabore symboliquement à partir de ce manque. L'absence d'expériences partagées et partageables peut contribuer à créer une sensation d'isolement ainsi que la croyance douloureuse, très rigide et très persistante chez l'enfant que ses propres besoins et états affectifs non partagés sont inacceptables, honteux, que cette partie de lui-même est en somme défectueuse, parfois méchante et même dégoûtante. Cette croyance, vécue comme une certitude parfois inconsciente, a une fonction paradoxale : elle est bien sûr source de honte et elle induit un vécu dépressif récurrent, mais elle protège en même temps l'individu de plusieurs manières. La conviction « de n'être rien », une source de honte cachée et de fragilité, constitue également une barrière de protection qui le protège d'une honte extérieure encore plus destructrice. Elle pousse donc l'enfant qui grandit, et plus tard l'adulte, à éviter toute situation relationnelle où il s'attend à ce que les autres lui confirment cette conviction. La personne appréhende d'être retraumatisée et s'en protège en fuyant. C'est peut-être ce qui pousse peut-être Annick à éviter les occasions de s'investir dans des études ou des projets professionnels (elle affirme en plus de cette manière son refus de se plier aux valeurs parentales) et à rétrécir son monde subjectif, interpersonnel et social en le réduisant souvent aux rituels alimentaires.

Dans certains cas, en s'attribuant toute la responsabilité de sa détresse émotive, l'enfant protège à la fois ses liens d'attachement vitaux à ses parents, qu'il évite ainsi de perturber ou de frustrer, et l'espoir qu'il pourra un jour se sentir reconnu et aimé d'eux en se changeant, en se purifiant de tout ce qui est inacceptable, y compris sa détresse. Cette partie de soi, ces états affectifs et ces besoins non partagés et non partageables deviennent « non-moi » ; ils sont dissociés de la conscience ou du sens de soi ordinaire, même s'ils continuent d'influencer les états affectifs. Afin de consolider cette dissociation, l'enfant, et plus tard l'adulte, tentera d'être à la hauteur d'un « soi idéal », un soi purifié de tout ce qui est perçu comme défectueux ou méchant. Mais la plupart du temps, il oscillera entre, d'une part le «soi honteux et méchant», «les démons», concrétisé par le «soi boulimique» et, d'autre part, le «soi idéal» que concrétise la femme en contrôle anorexique et mince. L'incapacité d'incorporer pleinement cet idéal deviendra une source continue de honte et de haine de soi. Toutes ces fonctions protectrices de l'intégrité fragile du sens de soi et des liens avec les autres expliquent la rigidité et la persistance de ces croyances/attentes, même si elles sont la source d'une haine de soi chronique très souffrante. Pour la personne anorexique-boulimique, la double expérience de soi est organisée et concrétisée en alternance autour des rituels de gavage, de l'obsession de grossir et de privation de nourriture, de l'obsession de la minceur. Comme le dit Annick: «Le mot nourriture est synonyme de refuge, de punition, d'échec, le mot régime est synonyme de réussite, de perfection et de contrôle» (p. 105).

Le contexte culturel et social: pourquoi surtout chez les femmes?

Les symptômes anorexiques-boulimiques ont aussi un sens quand on les situe dans leur contexte culturel et social. Les parents, l'environnement social et les institutions soignantes incorporent les valeurs et les impératifs d'une culture. Le fait que les filles soient plus fréquemment victimes de TCA que les garçons s'explique probablement par les vicissitudes du développement fondé sur le genre, une construction culturelle et sociale. Dans la littérature portant sur les TCA, on parle surtout de l'idéal de minceur corporelle irréaliste imposé socialement aux femmes et, plus récemment, de l'idéal de «muscularité» chez les hommes. D'autres voient les TCA comme une exagération du rôle féminin à un moment où les femmes semblent convoiter les rôles masculins dans les domaines du travail et du sport. Pour sa part, Susan Sands croit que la réponse admirative surstimulante à l'exhibitionnisme corporel des petites filles dans notre société biaise le besoin de valorisation des femmes en focalisant celle-ci sur leur apparence physique. Mais cette fixation est le plus souvent ambivalente, parce qu'elle met l'accent sur les défauts, les imperfections corporelles et la poursuite compulsive d'un impossible idéal de perfection corporelle. Nous l'avons vu plus haut, très souvent, à l'adolescence, le corps, son apparence, ses sensations et ses besoins se substituent à la partie de l'expérience de soi invalidée et honteuse qui s'est construite dans l'environnement de la petite enfance, tout en la manifestant de façon concrète. Les imperfections corporelles deviennent inacceptables, source d'anxiété intolérable, et les désordres alimentaires constituent alors une tentative de restaurer le soi en le faisant correspondre ou en l'opposant à l'idéal de beauté corporelle dominant dans la culture.

Sands fait aussi l'hypothèse qui suit. Dans le contexte culturel occidental, les hommes auraient tendance à voir incorporés chez ces femmes leurs propres besoins de connexion affective intolérables et désavoués, ce qui les inciterait à instaurer avec elles une dynamique relationnelle de domination sexuelle ou agressive, et souvent les deux. Les femmes, elles, auraient davantage tendance à utiliser leur corps comme contenant de leur dépendance impuissante et à juguler parfois celle-ci par l'automutilation et/ou par la manipulation violente de leurs besoins alimentaires. Hommes et femmes auraient peur de leur dépendance impuissante, mais à différents égards. L'homme aurait peur d'être petit, faible, passif, et c'est l'anxiété liée à son image corporelle qui le mènerait le plus souvent à l'obsession de la « muscularité » et/ou à l'affirmation compulsive de son désir sexuel auquel il tente d'asservir la femme. Tandis que chez la femme, la peur d'être grosse, de trop demander ou de trop désirer engendre l'obsession morbide de la nourriture et de la minceur et/ou la poursuite compulsive de l'expérience d'être désirée sexuellement par l'homme[14].

---

14. Voir à ce sujet la brillante analyse sociale et psychanalytique des relations de domination et de soumission homme-femme par Jessica Benjamin dans son ouvrage *The Bonds of Love* (1989), traduit en français sous le titre *Les liens de l'amour*.

Tout symptôme est un acte de communication complexe qui porte des significations multiples à des destinations multiples. Les TCA, observés dans leur contexte culturel, témoignent notamment « d'une réduction à l'absurde de la consommation compulsive où les biens et leur consommation sont substitués à la satisfaction des besoins humains », comme le dit si bien Paul Hamburg, un autre auteur qui a traité de ce sujet. À un niveau encore plus profond je crois, on peut y lire un message critique de l'individualisme dominant dans notre culture occidentale[15]. En effet, l'histoire d'Annick met en relief de façon dramatique les méfaits de cet individualisme à outrance. Celui-ci engendre une poursuite à tout prix de la réalisation personnelle et un souci de performance excessive que les parents encouragent très tôt chez l'enfant, au détriment souvent de leur rôle de protecteurs de son développement complet qui inclut l'empathie pour les autres, l'intelligence du cœur et les besoins de connexion affective. Les parents, tout comme les enseignants, sont eux-mêmes soumis aux pressions sociales et politiques qui incitent à voir la réalisation personnelle comme l'objectif prédominant. Aussi désirent-ils préparer le mieux possible l'enfant à être un « gagnant » plutôt qu'un « perdant ». Ces valeurs dominantes dans notre société démocratique, qui repose sur des principes égalitaires et individualistes (donc de compétitivité), sont par ailleurs essentielles à la liberté du citoyen adulte. Mais trop souvent la performance de l'enfant devient une réalisation personnelle de plus pour les parents et les enseignants. Sous cette pression, les enfants doivent grandir trop vite et renoncer à leurs besoins de dépendance, de mutualité, de soutien ferme et aimant de tout leur être que devrait satisfaire la génération qui les précède. On peut établir la différence fondamentale entre l'individualité de l'enfant dans la famille et celle du citoyen dans la

---

15. À ceux que la problématique intéresse, je recommande la lecture d'un article percutant de Mounir H. Samy, psychiatre et psychanalyste de Montréal, qui m'a inspirée ici. Sa réflexion intitulée « Enfance, famille et société : Le mythe de la réalisation personnelle » a été publiée dans la revue *Prisme*, n° 29, 1999, p. 124-40.

société. Dans la famille, l'individualité ne repose pas sur un principe d'égalité symétrique comme dans la société; «elle découle plutôt d'un sentiment profond que chacun fait l'objet d'un investissement "unique" de la part du parent, qu'il est "irremplaçable" dans leur amour[16].» Et j'ajouterais qu'elle repose aussi sur une reconnaissance mutuelle soutenue des subjectivités semblables et différentes. Or, la tension entre les priorités de la vie familiale et celles de la vie en société démocratique repose largement sur les épaules de la femme, qui a à assumer les rôles de mère et de travailleuse, rôles dont les demandes sont en compétition et parfois même en opposition. La difficulté de contenir cette tension-là pour les femmes de la génération d'Annick, qui n'ont pu l'apprendre d'un modèle maternel, n'est pas négligeable. Et certains auteurs croient que cette situation sociale de la femme la rend particulièrement vulnérable aux troubles alimentaires. Quoi qu'il en soit, à défaut de trouver cet environnement familial et social qui nourrisse et protège son individualité complète, Annick a dû chercher à «se nourrir» autrement. Mais la violence avec laquelle elle le fait traduit bien la violence avec laquelle son milieu social a considéré certains aspects de son être et de ses besoins.

Le traitement des TCA

Dans son récit, Annick interpelle le lecteur de façon parfois angoissante. Dans sa vie aussi, Annick ne laisse personne indifférent, y compris sa thérapeute. Elle passe «d'adorable… en période d'anorexie [à …] détestable en période de boulimie» (p. 47). Elle décrit très bien l'effet qu'elle a sur les autres et le résultat qui s'ensuit souvent dans ses relations: «Je dévore les gens comme la nourriture, je les prends en otage, je pompe toutes leurs énergies. Et selon leur force de caractère, certains s'enfuient, d'autres m'affrontent. Et cet affrontement se termine généralement très mal» (p. 79). Annick provoque, parfois par la séduction, parfois

---

16. Samy, M. H. «Enfance, famille et société: Le mythe de la réalisation personnelle», *Prisme*, n° 29, 1999, p. 139.

par l'agressivité, l'engagement émotif intense des personnes qu'elle rencontre ; c'est d'ailleurs une ressource positive qui l'aidera à retrouver le chemin du développement. Elle est à la recherche d'un nouveau commencement dans sa relation aux autres : se sentir reconnue, aimée, vraiment apaisée. Mais elle est désespérément hantée par la peur de répéter les échecs relationnels du passé. Ses attentes installent très tôt avec moi, sa thérapeute, comme avec tous ceux qui l'approchent, une dynamique « tirer-repousser » semblable à ce qui se passe entre l'enfant d'un an et sa mère, lorsque le lien d'attachement est non sécurisé et ambivalent/résistant. Elle espère, demande et exige parfois tyranniquement quelque chose « de neuf », mais elle s'attend à vivre « du vieux »…

Tout symptôme devient rapidement une force organisatrice centrale dans la vie d'une personne, et le récit d'Annick en est une illustration dramatique. Comme nous venons de le voir, la personne se définit et est définie par sa relation à ses symptômes anorexiques-boulimiques – ce système se substitue en effet à ses relations avec les autres, en même temps qu'il représente leur inadéquation. La personne développe une relation intense, complexe, obsessive à ses symptômes. En dépit de leur tyrannie, ceux-ci lui apportent une sensation de familiarité, de sécurité et de calme relatif dont elle ne peut plus se passer, puisqu'ils sont un remède à tous ses maux et à ses inadéquations. Les TCA sont vécus par chaque personne comme une histoire d'amour cachée et furtive avec la nourriture et ses rituels. Le « soi boulimique » représente la partie de soi la plus « réelle », la plus authentique, la plus personnelle du sens que la personne a d'elle-même. Dans cette perspective subjective, le succès thérapeutique – la disparition des symptômes – représente donc une sorte de destruction ou d'abandon de soi. Le thérapeute représente aussi un danger. C'est que par sa volonté de comprendre et d'aider, il fait naître chez la patiente l'espoir que ses besoins de s'attacher, d'être réconfortée, d'être proche et de se dire vont enfin trouver réponse. En même temps, il soulève chez la patiente la terrible crainte que ces réponses soient encore inaccessibles ou encore qu'elles constituent, comme dans le passé, des expériences aliénantes pour elle. L'espoir rallumé est dangereux; seule l'autosuffisance et la négation de tous les besoins de connexion affective créent une marge de sécurité. Comme dans ses autres relations, une très large part de l'investissement de la patiente dans le traitement sera donc faite d'attaques massives contre la compétence, l'intégrité ou le désir d'aider du thérapeute, afin de tester sa sincérité et son authenticité, et même afin de confirmer qu'il lui est impossible de s'y fier.

La souffrance de la personne anorexique-boulimique est très réelle et très « submergeante ». Tout en se protégeant du danger que le traitement représente pour elle, la patiente demande au thérapeute de la « purger » de ce qui est ou fait mal en elle, soit de ses symptômes, de sa conviction « de n'être rien » et de sa honte chronique. « Je suis prête à payer le prix fort pour ne plus souffrir » (p. 81), écrit Annick avant d'accepter de venir me rencontrer pour la première fois. Les promesses « purgatives » ou « transformatives » de plusieurs approches thérapeutiques, comme toutes les formes de régimes alimentaires, vont d'ailleurs parsemer la recherche d'aide de ces personnes d'espoirs de guérison et de désillusions répétées. Annick et sa thérapeute, comme toutes les personnes souffrant de TCA et toutes les personnes qui tentent de les aider, ne pourront échapper au dilemme déchirant de l'attachement complexe à l'Autre, qui est à la fois promesse et menace, dont on a besoin et dont on a peur, et avec qui on a envie de fusionner et qui est trop facilement perdu. Les rencontres entre Annick et moi, la plupart du temps bihebdomadaires pendant six à sept ans, seront pour moi aussi « parfois houleuses, souvent difficiles » (p. 100).

L'engagement du thérapeute

On ne devient pas thérapeute sans porter en soi ses propres espoirs de guérison et ses propres appréhensions de retraumatisation relationnelle. Ce sont là des thèmes centraux dans l'organisation de l'expérience subjective consciente et inconsciente de toute personne soignante, parent ou thérapeute. Le désir d'aider la patiente, et même de la sauver, comporte sa part de besoins plus ou moins conscients chez le thérapeute (comme chez le parent en relation avec son enfant) de réparer ses propres blessures et les échecs relationnels issus de son histoire passée. Parfois le thérapeute s'identifie à la patiente et le désir de la sauver est le plus fort. Cette motivation peut se manifester de plusieurs manières. Le thérapeute peut tenter naïvement et vainement de réparer le passé en remplaçant tout ce dont il croit que sa patiente a manqué dans son enfance, parfois surtout inspiré par ce dont il a lui-même manqué. Il peut aussi tenter de se soumettre aux demandes explicites et implicites de la patiente, y compris à ses espoirs d'être «purgée» de sa souffrance. Parfois encore, il veut la convaincre d'adopter ses propres solutions. À l'autre extrême, le thérapeute veut parfois se protéger de la personne qui évoque en lui l'écho d'une souffrance lointaine en tentant d'intervenir sans s'engager dans l'interaction sur le plan émotif. Se réfugiant dans une attitude de «neutralité thérapeutique», il peut alors alterner entre l'attente passive que la patiente s'exprime, et expliquer tout ce que sa patiente dit et fait dans la relation comme un «transfert» du passé et de ses conflits intérieurs, sans tenir compte de sa propre influence ni de sa contribution. Ces patientes souffrantes qui l'attaquent, qui génèrent le doute, l'incertitude et le sentiment d'être inadéquat et impuissant comme thérapeute, peuvent être vues par celui-ci comme une menace à son intégrité personnelle. Il peut alors intervenir en affrontant de façon agressive l'attitude défensive et offensive de sa patiente afin de se protéger lui-même et de restaurer son intégrité.

Annick relate un événement de sa thérapie avec moi qui s'apparente à ce que je viens de décrire. Je réagis alors avec colère à son attaque verbale à mon endroit et je lui reproche avec agressivité ses attitudes provocatrices et manipulatrices en l'invitant à choisir entre prendre la porte et s'engager «vraiment» dans la thérapie (p. 83). «Je ne suis ni ton père ni ta mère… », lui aurais-je dit, la sommant ni plus ni moins de changer son mode d'attachement ! Terrorisée par la menace que je l'abandonne, Annick se soumet et accepte de venir deux fois par semaine, la condition que je lui avais imposée. Bien sûr, je réagis à l'attaque d'Annick par une contre-attaque, mais j'ai aussi des convictions théoriques qui me soutiennent. Vingt ans plus tard, quand je lis le récit d'Annick, je me rappelle que mes conceptions de la personne et du changement thérapeutique étaient alors très différentes de celles que j'ai aujourd'hui (celles que j'ai exposées ici)[17]. En 1983, au moment où se situe l'événement, je réagis à la désillusion de mes premières «théories de la guérison» que soutiennent et incorporent les approches thérapeutiques humanistes-existentielles des années 1960 et 1970, époque de la culture *peace and love*. L'accent mis exclusivement sur l'ici-et-maintenant, qui minimise l'influence du passé, et sur l'idéal thérapeutique «rogérien» d'une compréhension empathique guérissante m'avait acculée à l'impuissance dans ma pratique de thérapeute. En réaction, j'étais passée à l'autre extrême : la croyance au choix et à la responsabilité de la personne dans le présent, et la confrontation de l'influence du passé et des mesures défensives de mes patients. Cette position thérapeutique peut conduire à l'impasse opposée : celle d'un autoritarisme abusif. Au moment où j'ai commencé à voir Annick, j'étais moi-même profondément désillusionnée quant à ces deux positions thérapeutiques dichotomisées, qui étaient bien sûr fondées en partie sur des théories alors à la mode, mais surtout sur des «théories inconscientes de la souffrance et de la guérison» issues de l'histoire personnelle des thérapeutes. J'y ai perdu beaucoup de mes certitudes. Où en suis-je maintenant ?

Dans l'entreprise d'un dialogue de compréhension émotionnelle guérissante, je crois encore en l'importance centrale d'une connexion empathique avec le monde des expériences subjectives

---

17. J'ai reconstruit l'évolution de mes propres «théories de la souffrance et de la guérison» dans un article paru dans la *Revue québécoise de psychologie*, vol. 20, n° 2, 1999, p. 163-188 et intitulé «Un parcours humaniste-existentiel : Les dérapages d'un idéal».

de ma patiente. Mais cette connexion, qui signifie « éprouver avec l'autre », doit être contextualisée, c'est-à-dire que je ne dois pas perdre de vue l'inévitable part de ma propre subjectivité. Je tente donc de maintenir une conscience réflexive de ma propre perspective subjective en interaction avec celle de l'autre. Je tente de restaurer cette conscience quand je la perds. Je crois non seulement qu'il est impossible de ne pas « réagir » et « agir », consciemment et inconsciemment, dans la relation thérapeutique, mais qu'il est nécessaire de le faire et d'en nourrir à la fois sa conscience réflexive et le dialogue avec la patiente. En d'autres mots, je suis là moi aussi, « enchâssée » de tout mon être dans la relation, avec mes convictions façonnées par mon histoire et par mes théories préférées, ce que j'ai nommé plus haut le « prêt-à-penser » et le « prêt-à-vivre ». Je participe et contribue à ce qui se passe, que ce soit du « vieux » ou du « neuf » pour l'autre. De plus, seule la reconnaissance soutenue et continue de la subjectivité de ma perspective et de ma contribution à l'expérience de ma patiente, surtout quand elle réagit à ce qui se passe avec moi, fournira à celle-ci la sécurité émotionnelle nécessaire pour qu'elle puisse à son tour remettre en question ses propres certitudes façonnées par son histoire et reconnaître en quoi elle-même contribue à son expérience avec moi.

Reprenons l'événement décrit par Annick où elle m'agresse et où je la somme de choisir entre la porte et un engagement réel. Je n'ai pas reconnu alors que son comportement exprimait justement son engagement : « Je deviens dépendante » (p. 82), écrit Annick juste avant l'incident. Et elle a commencé « à utiliser la manipulation… pour aller chercher de l'attention et de l'affection » (p. 82). Atteinte dans mon intégrité, j'ai réagi de façon agressive à ses attaques et je l'ai affrontée. J'ai voulu qu'elle s'engage de la manière qui me convenait, qui n'était justement pas celle dans laquelle elle était elle-même coincée. Si j'avais été capable alors de reconnaître la menace que l'attaque d'Annick me faisait vivre, j'aurais pu, dans un premier temps, contenir ma propre perturbation et, ensuite, essayer de recevoir celle-ci dans sa rage envers moi. Ultérieurement, j'aurais tenté de lui donner un sens dans le contexte de notre relation : une rage réactive à ses espoirs déçus, à son sens d'elle-même comme défectueuse, incompétente, à sa honte réactivée devant moi, à mon impuissance à la « purger » de sa souffrance… et quoi encore ? Je pense qu'Annick s'est longtemps vue comme méchante, s'est sentie coupable et s'est punie elle-même de ses attaques rageuses contre les personnes importantes pour elle. « Haïr et détruire : je ne sais faire que ça. […] Cette force destructrice est incontrôlable, elle me fait peur à moi-même autant qu'aux autres, elle me possède et me démolit » (p. 47), dit-elle. Elle était incapable de comprendre ce qui générait ou réactivait cette force dans le contexte relationnel ; et moi j'ai raté l'occasion de l'explorer et de le comprendre avec elle. Elle s'est d'ailleurs empressée de se consoler-punir avec des gâteaux en sortant de mon bureau. Heureusement, à d'autres occasions nous sommes arrivées à nous sortir momentanément de cette dynamique sado-masochiste pour comprendre comment celle-ci s'était construite et comment elle se réactivait de façon répétée avec moi, avec ses parents, avec ses amoureux et avec ses amis.

Le processus thérapeutique et le changement

À partir de ce qui précède, on peut comprendre que l'éradication des symptômes ne peut être le but poursuivi directement par la thérapie, puisque ceux-ci représentent les meilleures solutions qui s'offrent au sens de soi défaillant et fragile de la patiente. Ils constituent une large part du système immunitaire et défensif de survie, des mesures urgentes d'adaptation au contexte relationnel présent et passé de la personne. Avant que celle-ci puisse renoncer à ses symptômes, il faut donc l'aider à ouvrir de nouvelles alternatives pour organiser l'expérience de façon plus flexible, plus intégrative et plus différenciée, ou encore ouvrir la possibilité d'autres solutions d'autorégulation et de régulation relationnelle. Encore une fois, on ne travaille pas directement sur les symptômes, et comprendre et expliquer ne suffit pas. La transformation qui s'ensuivra sera le fruit de la relation et du travail thérapeutique, plus spécifiquement du dialogue émotif verbal et non verbal entre la patiente et la thérapeute qui construisent ensemble des significations chargées d'émotion. Comment cela peut-il se produire ?

D'abord par les négociations souvent houleuses, la plupart du temps de façon non verbale par les comportements interpersonnels, dans un lien d'attachement émotionnel de confiance entre la cliente et la thérapeute. Les attentes/significations rigides souffrantes encodées dans la mémoire émotionnelle de la personne se sont construites dans les liens d'attachement du passé et du présent, et elles ne deviendront plus flexibles et plus différenciées que grâce à l'expérience d'un lien significatif confiant. C'est ce que je crois, qu'on le reconnaisse ou non dans la formulation théorique des différentes approches thérapeutiques[18]. L'expérience d'un tel lien affectif est indispensable à l'intégration des états affectifs conflictuels jusqu'ici niés par la patiente. À son tour, cette intégration est cruciale pour la restauration, le maintien et le développement d'un sens de soi cohérent, continu, vivant et positivement coloré. Plus simplement dit, la thérapeute ne guérit pas sa patiente mais celle-ci se percevra de plus en plus comme quelqu'un d'acceptable et digne d'une estime de tout son être, dans la mesure où elle se sentira reconnue, comprise de façon empathique et acceptée, y compris dans ses efforts passés et actuels pour se guérir.

De part et d'autre, la patiente et la thérapeute font face au risque de l'attachement mutuel, avec tout ce que celui-ci comporte d'espoirs et d'appréhensions. Dans le cas des patientes souffrant des TCA, plus elles se fient uniquement et rigidement à la nourriture et à ses rituels pour s'autoréguler, plus ce risque est difficile à envisager. Dans le cas d'Annick, l'ambivalence de

---

18. Selon Lambert & Bergin (Freedheim, D.K. éd., *History of Psychotherapy: A Century of Change*, Washington, DC, APA, 1992, chap. 11), les recherches portant sur les résultats de la psychothérapie semblent unanimes à conclure que la relation positive entre le thérapeute et le client est centrale dans le progrès thérapeutique, peu importe l'approche utilisée.

ses attachements la rendait particulièrement disponible à s'ouvrir au risque avec moi, comme avec tous ceux qui l'ont aidée. Ce n'est donc pas en exhortant la patiente à mieux manger, ou même à s'aimer elle-même, que celle-ci arrive à le faire. C'est en courant le risque d'être avec elle, de la connaître, de la comprendre sur le plan émotif dans tout ce qu'elle est, au sein d'une forme indéniable d'amour, même quand la chose nous semble à toutes les deux impossible. Le cadre thérapeutique à la fois ferme et souple, fait de temps, d'espace et du rituel des rencontres, permet au thérapeute d'offrir la disponibilité émotive et l'espace relationnel qui favoriseront la négociation du lien et le processus de compréhension émotionnelle guérissante. La fermeté et la souplesse du cadre impliquent que la thérapeute mettra des limites réfléchies à sa disponibilité, mais qu'elle pourra dans certaines circonstances les modifier – comme lorsque je suis restée au téléphone avec Annick pendant une partie de la nuit après le départ de Jean. De plus, le cadre thérapeutique ainsi que la participation de la thérapeute à une communauté scientifique et professionnelle aident celle-ci à maintenir ou à restaurer (quand elle la perd) une position de conscience réflexive sur elle-même et sur l'interaction avec la patiente à travers les tempêtes émotives.

Au début, pour la plupart des femmes qui souffrent des TCA, se retrouver chez un thérapeute est un choix très ambivalent et souvent source de honte et de résistance autoprotectrice. La patiente veut que la thérapeute ne soit qu'un simple témoin de la façon dont la boulimie lui gâche la vie et qu'elle l'en délivre. «Sans elle, tout irait bien», comme le dit Annick (p. 82). Celle-ci me met aussitôt en garde contre une remise en question de quelque certitude que ce soit en ce qui concerne sa vie et ses relations. L'ennemi, c'est le symptôme qu'il va falloir éradiquer afin que tout aille bien avec l'homme de sa vie qu'elle vient de rencontrer. Je n'ai qu'une alliance de travail possible avec elle : vaincre la boulimie, «les démons», ce qui revient à éliminer une fois pour toutes ces états affectifs et ces besoins qui s'expriment dans le symptôme.

Bien sûr, je peux alors valider la souffrance occasionnée par le symptôme en recevant l'expression de son expérience souffrante consciente. Mais ma position empathique doit contenir en même temps une perception des besoins et des états souffrants incorporés dans ce « soi boulimique » dont elle veut se débarrasser. Sinon, je ne ferai que confirmer sa conviction sous-jacente que cette partie d'elle-même est défectueuse, honteuse ou méchante. La patiente a besoin d'un partenaire capable de la voir et de la contenir comme elle est, capable aussi de l'aider à élaborer dans sa conscience une image un peu mieux organisée, plus cohérente et plus positive d'elle. Sinon, ce partenaire risque d'être constamment pris lui-même dans l'impasse, faisant alliance avec le « bon » côté pour combattre le « mauvais », avec le soi conscient acceptable et même « idéal » contre le « soi boulimique ». L'approche thérapeutique la plus utile semble donc être celle qui valide simultanément deux choses : le coût élevé du symptôme, en le reconnaissant explicitement sur le plan émotif, et son pouvoir organisateur, en y reconnaissant l'effort créateur de la personne pour maintenir l'intégrité du soi.

Mais il s'agit là d'une position difficile. La violence autodestructrice des symptômes anorexiques-boulimiques, parfois criante de par la seule apparence physique de la patiente, constitue un appel à l'aide très puissant et mobilisateur. En même temps, elle exprime un refus de cette aide, perçue comme aliénante et dangereuse. « J'ai besoin de toi/Je n'ai pas besoin de toi », me dit la patiente de diverses manières. Je réagirai souvent à ces messages en passant en alternance d'un état anxieux d'inquiétude à un état d'impuissance ou de démission, et parfois avec l'envie de l'agresser. Je devrai me contenir dans mes perturbations et attendre patiemment de trouver des manières de m'approcher de l'expérience boulimique de la patiente pour tenter d'en formuler avec elle les significations, afin de donner enfin une voix à ce qui s'exprime par le corps, par le symptôme. À mesure que la patiente fait l'expérience de mon empathie, c'est-à-dire de mes efforts pour comprendre de son point de vue les besoins et les fonctions toujours paradoxaux du « soi anorexique-boulimique », elle en vient à mieux se comprendre elle-même dans sa dépendance aux conduites alimentaires. Ensuite, se sentant un peu plus en sécurité, elle commence à se permettre d'avoir besoin du lien avec la thérapeute, sans la repousser constamment. Le lien affectif, dans les moments où il devient plus confiant, sert de soutien au « travail » de la thérapie ; la patiente et la thérapeute peuvent s'engager ensemble dans un processus d'exploration et de compréhension empathique. Ce sera alors le début d'une construction conjointe des significations de l'expérience émotionnelle que vit la patiente dans les contextes de sa relation aux autres, présents et passés. C'est ce qu'Annick décrit comme « y voir clair » ou « voir ma vie et mon passé sous un autre éclairage » (p. 106).

Ces moments alternent très souvent avec d'autres beaucoup plus difficiles : la patiente vit des moments de terreur d'être abandonnée, rejetée, et elle voit ses pires appréhensions se concrétiser dans sa relation aux autres ou à la thérapeute. Elle redevient alors une petite fille abandonnée qui a peur de mourir. Dans ces moments, ma présence prend la forme d'un soutien émotif qui l'aide à contenir ce qui est submergeant. Annick ne se souvient d'ailleurs pas ou peu de mes paroles à ces moments-là. Mais elle écrit : « … sa voix douce me berce, son regard clair me rassure » (p. 99). Pendant les longs mois qui ont suivi la mort de sa mère, elle résume ainsi son expérience : « bouffe et désespoir ». Elle ajoute : « Annette m'aide à garder la tête hors de l'eau » (p. 93). Encore une fois, il ne s'agit pas de remplacer ce qu'elle n'a pas reçu dans le passé. Et ma présence est apaisante dans la mesure où je maintiens et restaure en moi une perception d'Annick qui intègre à la fois son expérience de petite fille abandonnée et son expérience d'adulte. On ne refait pas le passé, mais on peut le « métaboliser[19] » afin d'arriver à se

---

19. J'utilise le terme « métaboliser » comme métaphore pour désigner des phénomènes de transformation des expériences du passé dans le tissu de l'expérience présente de la personne parce qu'ils sont similaires à ceux qui s'accomplissent dans les tissus de l'organisme vivant par l'assimilation de la nourriture.

nourrir de façon plus satisfaisante dans le présent, concrètement et affectivement. Lorsque les perturbations se produisent
dans la relation avec la thérapeute, la rupture du lien de
confiance devient le centre de l'attention. Cette rupture est souvent ponctuée d'une intensification inquiétante des symptômes, ce qui exacerbe l'anxiété de la thérapeute. Il est alors
important que, à titre de thérapeute, je puisse d'abord survivre
à cette anxiété sur le plan émotif, de même qu'aux réactions
d'agression et de retrait émotif de ma patiente, en contenant
mes propres perturbations (ce que je n'ai pas fait dans l'incident
auquel j'ai fait allusion plus haut ; ma façon de survivre à été de
retourner l'attaque). Je tenterai ensuite de valider sa réaction
ainsi que la source de celle-ci dans une douleur présente, en
même temps que je tenterai de comprendre et de reconnaître
comment j'ai contribué, souvent à mon insu, à la rupture. Une
fois le lien rétabli, ces moments sont des occasions uniques,
quand on peut les saisir, d'explorer et de comprendre les réver-
bérations denses et multiples du passé dans le présent. Grâce à
cette conscience partagée, il se construit alors chez la patiente
une plus grande capacité d'intériorisation et de conscience
réflexive de ses expériences multiples d'être soi en relation à
d'autres.

Je ne suis pas intervenue directement dans les comportements anorexiques-boulimiques d'Annick. J'ai constamment
insisté pour qu'elle aille chercher cette aide auprès d'une
diététiste. Elle l'a fait lorsqu'elle a été prête à le faire. Mon rôle
était celui d'une thérapeute « relationnelle », et la fonction de
validation empathique du « soi boulimique » comme de toute
son expérience était prioritaire. Je crois cependant que la position thérapeutique de ne pas intervenir dans la conduite alimentaire doit être nuancée lorsqu'il s'agit d'anorexie sévère qui met
la vie en danger.

Le récit d'Annick démontre bien que le chemin vers la guérison n'est pas droit et continu, et qu'il est surtout fait d'expériences relationnelles répétitives et guérissantes. L'ai-je aidée « à couper le cordon ombilical » (p. 106), comme elle le dit, ce lien à la

nourriture et à la mère ? En tout cas, pas directement. Les besoins de connexion affective, d'attachement aux autres ne sont pas à « dépasser ». Ce qui change, c'est la manière de les satisfaire, une manière qui n'est plus limitée à une aliénation de l'individualité, ou à une domination des besoins d'attachement. Annick a eu besoin de faire l'expérience d'un attachement solide pour pouvoir se détacher en toute sécurité, pour laisser aller sa mère et se donner une vie d'adulte. Elle a su construire cet attachement avec moi, avec Louise Lambert-Lagacé et avec plusieurs de ses amis lorsqu'elle s'est sentie comprise et reconnue, et sans qu'elle se sente obligée de porter toute la responsabilité de ce que nous vivions en relation avec elle. Quand elle raconte la fin de sa thérapie avec moi, elle évoque d'ailleurs de façon touchante la peine qu'elle a de rompre elle-même ce lien, en même temps que le bonheur indicible de ne plus avoir besoin de se consoler ou de remplir le vide avec de la nourriture ou de se punir d'être séparée en se gavant. Elle a maintenant des solutions nouvelles, y compris le plaisir de manger. Dans ses liens d'attachement, elle va retrouver l'accès à la partie aimante de sa mère, sans être coincée comme celle-ci dans la négation de ses désirs et de son individualité. Elle sait maintenant restaurer cette intériorité, celle qui lui permet de contenir et de réguler la tension inévitable entre ses besoins d'attachement aux autres et ses besoins de se différencier d'eux.

Le travail thérapeutique est un prolongement, contextualisé professionnellement, du travail du développement humain qui se déroule dans toutes les relations, que ce soit entre parents et enfants, entre conjoints, entre amis, en fait dans toute expérience relationnelle significative. Ce que j'ai dit du lien thérapeutique s'applique aux liens entre ceux qui souffrent et ceux qui les aiment et qui désirent les guérir. La guérison de la souffrance n'est jamais directe, et elle se fait surtout en deçà des discours ou des techniques. Si nous courons le risque de l'attachement mutuel, nous aidons l'autre à devenir plus humain et nous devenons plus humains avec lui.

Table des matières

Cet ouvrage a été achevé d'imprimer
au Canada en novembre 2001.

Transcontinental
IMPRESSION
IMPRIMERIE GAGNÉ